EL NEGOCIADOR AL MINUTO

D1435582

DISCARD

9/15 9

Don Hutson y George Lucas

El negociador
al minuto

Pasos simples para lograr
mejores acuerdos

EMPRESA ACTIVA

Argentina - Chile - Colombia - España
Estados Unidos - México - Perú - Uruguay - Venezuela

Título original: *The One Minute Negotiator*
Editor original: Berret-Koehler Publishers, Inc., San Francisco, California
Traducción: María Isabel Merino Sánchez

1.ª edición Abril 2011

© 2010 *by* Don Hutson y George Lucas
First published by Berret-Koehler Publishers, Inc., San Francisco, California
All Rights Reserved
© 2011 de la traducción *by* María Isabel Merino Sánchez
© 2011 *by* Ediciones Urano, S.A.
  Aribau, 142, pral. - 08036 Barcelona
  www.empresaactiva.com
  www.edicionesurano.com

ISBN: 978-84-92452-72-9
E-ISBN: 978-84-9944-060-6
Depósito legal: B - 7.447 - 2011

Fotocomposición: A.P.G. Estudi Gràfic, S.L.
Impreso por Romanyà Valls, S.A. - Verdaguer, 1 - 08786 Capellades (Barcelona)

Impreso en España - *Printed in Spain*

Dedicamos este libro a nuestros cariñosos hijos:
Hijos de Don: Sandy, Scott y Kevin
Hijos de George: Taylor y Austin

Nos han dado muchas alegrías, y los queremos por eso.
También nos han enseñado mucho, y se lo agradecemos.
Pero sobre todo, os queremos a cada uno
por ser vosotros mismos.

Índice

Prefacio

Cuando pensamos en una negociación, solemos pensar en la pareja ganar-perder; en otras palabras, alguien ganará y alguien perderá. Muchas personas llegan a asociar la negociación con la habilidad para «pillarlos antes de que te pillen». *El negociador al minuto* no trata de eso en absoluto. Uno de los mensajes clave de este libro es que se puede llevar a cabo una negociación sin convertir al otro en víctima —ni convertirte tú en víctima— en el proceso. En lugar de pelear por un pastel limitado, puedes usar los conocimientos ofrecidos en este libro para crear un pastel mayor.

Puede que creas que no se necesitan aptitudes para negociar. Muchos creemos que podemos manejar cualquier relación sólo estrechando manos; confiamos en que nuestras buenas intenciones crearán buenos resultados. Aunque colaborar es una noble meta, si estás negociando con alguien duro y competitivo que no tiene ningún interés en colaborar, igual podrías estar en medio de las vías del ferrocarril tratando de negociar con un tren que se acerca a toda velocidad. Es preciso que, desde el principio, seas capaz de reconocer a qué te enfrentas y utilizar una estrategia que dé resultado con esa clase de persona. Este libro te enseñará a ver venir el tren y subirte a él, en lugar de dejar que te arrolle.

El negociador al minuto también te introducirá en la Matriz de la Negociación, una herramienta que te ayudará a reconocer las cuatro estrategias de negociación: evitación, acomodación, competición y colaboración. La habilidad para diagnosticar cuál es la estrategia negociadora de alguien te ayudará a alcanzar los resultados que quieres y, al mismo tiempo, a mejorar tus relaciones. Una vez que hayas interiorizado esta aptitud, te rendirá dividendos para siempre. Podrás escuchar más hábilmente, evaluar a otros con más precisión, discernir las metas de los demás, y seleccionar la estrategia para conseguir los mejores resultados posibles.

Así pues, no seas «negociafóbico». Lee este libro y disfruta del viaje que te llevará a una mayor colaboración y éxito.

KEN BLANCHARD,
coautor de *El manager al minuto*®
y *Empresario en un minuto*®

1

¿Tengo *negociafobia*?

Dos billetes para el paraíso

El letrero de la Terminal H del Aeropuerto Internacional de Miami proclamaba: «Bienvenidos a Miami». Cuando Jay Baxter leyó este mensaje y luego buscó la flecha que le dirigía hacia «recogida de equipajes», dudó de haberse sentido nunca más bienvenido en ningún momento ni ningún lugar en toda su vida. Él y su esposa Laura habían ganado un sitio en el Viaje de Recompensa para los Mejores Vendedores que la empresa realizaba anualmente para todos los que, durante el año anterior, habían superado su cuota de ventas en más del 10 por ciento.

La empresa, XL Information Solutions, había sopesado la idea de cancelar el viaje este año, en un esfuerzo por reducir gastos. El presidente de la organización intervino en el último minuto y salvó el viaje con la idea de hacer que no fuera sólo una recompensa sino también una experiencia educativa. La nota del presidente hablaba de conseguir un retorno sobre la inversión, pero todos sabían que la modificación de las leyes tributarias, que restringía la capacidad de una empresa para eliminar estas excursiones, desempeñaba un papel importante en la vuelta a la posición anterior. Jay se alegraba de que su esposa, Laura, no se hubiera enterado de la posibilidad de que se cancelara el viaje. Llevaba seis meses contando con esa salida; además, era la única explicación legítima que él podía darle por las muchas cenas tardías y los muchos acontecimientos familiares perdidos que, durante al año anterior, habían padecido los que tanto quería.

Cuando salieron de Cleveland estaba nevando y la temperatura era de unos glaciales seis grados bajo cero. Al aterrizar, el piloto los informó de que en Miami estaban a 26 grados, y los pasajeros no necesitaron que les dijeran que, por fin, estaban en el Estado del Sol. Iba a ser un viaje fabuloso para los dos. Los padres de Laura habían acudido desde Chicago para cuidar a sus dos hijos adolescentes, así que estaban a punto de empezar un viaje libre de preocupaciones.

Jay no sólo reunía las condiciones para participar en este acontecimiento, sino que el total de sus ventas era el porcentaje más alto sobre la cuota entre las 17 personas que habían ganado el crucero. Muchos de sus compañeros le habían enviado *e-mails* diciéndole que creían que tenía el codiciado premio de «Vendedor del año» al alcance de la mano. Ya había elegido un lugar de honor para colocar la estatuilla dorada, así como los aspectos que destacaría en su discurso de aceptación.

A Laura varias de las esposas le habían dicho que el premio era una posibilidad, y, durante el vuelo, comentó que podrían usar el dinero extra de la prima como pago inicial para una nueva casa. Él llevaba un tiempo dándole largas a este gran cambio, pero según continuaban sus negociaciones, estaba empezando a quedarse sin excusas. Una posibilidad adicional, de la que Laura no estaba enterada —y Jay no hizo nada para alimentar sus esperanzas en el asunto— era que también lo iban a promocionar al puesto, actualmente vacante, de jefe de ventas regional para la zona alta del Medio Oeste. Este logro no sólo haría que un pago mensual de hipoteca más alto fuera factible, sino que además haría realidad sus sueños profesionales. Codiciaba este puesto desde hacía años y, desde que el actual director anunciara su jubilación varias semanas atrás, incluso había buscado ocasiones para entrar a hurtadillas en su despacho y echar una ojeada.

—Laura, ¿crees que tengo miedo a negociar? —le preguntó Jay a su esposa mientras recorrían la terminal.

Ella respondió con su propia pregunta:

—¿Por qué lo dices, cariño?

Él justificó su pregunta informándole del tema central del taller que ocuparía una gran parte de su tiempo en este viaje.

—El seminario de este hombre, el doctor Pat, se llama «Cómo tratar tu *negociafobia*». En la descripción, afirma que incluso los profesionales de negocios más veteranos padecen una enfermedad que tiene sus raíces en el miedo a la negociación, tanto en el lugar de trabajo como en nuestra vida personal: la *negociafobia*. Yo no tengo ese miedo, ¿verdad?

Laura no pudo resistirse a la ocasión de lanzarle un par de pullas.

—Mira, Jay, lo que tú tienes es *fontanifobia*, ya que el grifo del baño de arriba sigue goteando. Tienes *jardinifobia*, dado que hay malas hierbas en los parterres desde el verano pasado. Teniendo en cuenta estos miedos, es posible que también tengas *negociafobia*.

Jay hizo una mueca y dijo:

—Gracias, cariño. Me alegra saber que siempre cuento con tu apoyo incondicional.

Cuando llegaron a la recogida de equipajes, sus maletas estaban entre las diez primeras de la cinta. Jay detestaba todo el asunto del equipaje, pero esta vez todo fue de maravilla. Diez minutos después estaban en el autobús que, por la I-95, los llevaba al puerto de Miami. Bajaron de la furgoneta en el muelle, dieron una propina al conductor, quien, a sus preguntas, les garantizó repetidamente que las maletas estarían en su camarote con tiempo de sobra para que se vistieran para la cena.

—Tenemos un sistema muy sencillo que funciona miles de veces cada día —afirmó el conductor, muy seguro de sí mismo.

Sólo tenían que registrarse, establecer crédito para sus gastos imprevistos, entregar los pasaportes, subir a bordo y empezar a pasárselo bien.

En cuanto pusieron pie en aquel barco enorme se vieron sumergidos en un ambiente festivo. Al firmar la cuenta de 22 dólares por sus bebidas de bienvenida, Jay comprendió al instante que no necesitarían mucho tiempo para gastar los 400 dólares de crédito en el barco que la empresa le daba a cada pareja, en este crucero de tres noches y cuatro días hasta las Bahamas y luego de vuelta hasta Cayo Oeste.

—Bueno —le dijo a Laura—, no es el momento de preocuparse por el dinero; es el momento de celebrarlo, divertirnos, vivir con elegancia, y mirar a lo que seguramente será el futuro que los dos tanto hemos trabajado por conseguir.

Rumores de catástrofe

Después del simulacro obligatorio con el bote salvavidas, que fue mitad serio (por parte de la tripulación), mitad broma y parte de la fiesta (por parte de los pasajeros), Jay y Laura volvieron al camarote. Era reducido, pero por lo menos tenía un pequeño balcón al que salir para brindar por aquellos pobres seres que no eran lo bastante afortunados para navegar hacia el sol y la diversión. Laura le dijo a Jay que se duchara él primero y luego se fuera de allí para que ella pudiera arreglarse en paz y tranquilidad. Él se apresuró a obedecerle.

Durante el simulacro, Eduardo Carlos, el representante de ventas de XL en el territorio del sur de Florida, le había dicho que quería hablar con él. Una docena de años atrás, Jay y Eduardo habían hecho juntos el programa de orientación para nuevos empleados de la compañía. Con frecuencia, ponían a prueba sus ideas uno con otro y se consideraban los dos mejores jugadores de la empresa en cuanto a descifrar cualquier cambio de política o encontrar el dinero fácil en los cambios anuales del plan de compensación.

Jay se puso la nueva camisa rosa y verde con flamencos y palmeras que había traído junto con una mezcla de quejas y risas de Laura, le dio un beso rápido y se fue a buscar a su amigo.

Se encontró con Eduardo junto al ascensor central de la cubierta Lido. Buscaron una mesa tranquila para sentarse a charlar.

—Jay, lo estás haciendo endemoniadamente bien, sin perder esa cara feliz, con lo que está pasando —dijo Eduardo.

—¿De qué estás hablando? —preguntó Jay—. Hemos completado un año bueno en un mercado duro, estamos en un crucero fantástico y no quiero dar demasiado por sentado, pero mi discurso de aceptación como Vendedor del Año tiene un par de frases muy buenas. Todas mejores que aquello del perro líder del trineo que Robert nos hizo aguantar el año pasado. ¿Quieres oírlas?

Eduardo parecía estupefacto.

—Realmente no lo sabes, ¿verdad?

—¿Saber qué? —fue todo lo que Jay pudo decir. Se preguntaba si habían despedido a alguien o, peor todavía, si alguien de la empresa estaba gravemente enfermo.

—Sinceramente, espero que tengas ocasión de usar ese

discurso el año que viene. Corren rumores de que Cathy Simmons se va a llevar el premio gordo, esta noche, en el banquete de entrega de premios —le dijo Eduardo, cauteloso, a su amigo.

—¿Cathy Simmons? —Jay pronunció su nombre como si hablara de una plaga. La última vez que miró los resultados de ventas de XL, le llevaba una ventaja de un 8 por ciento—. No puede ser verdad. Ni siquiera la he considerado nunca una competidora seria. —La voz se le fue apagando poco a poco.

Eduardo prosiguió.

—No hay ninguna duda de que es un robo con felonía, amigo mío. Has tenido un año de fábula. Dicen que fue un auténtico baño de sangre en la reunión del comité ejecutivo. Todos pensaban que lo tenías en el bolsillo, y luego llegó Bob Blankenship y lo puso todo patas arriba. Supongo que lo puedes hacer cuando eres el presidente de la compañía. —El criterio para nombrar Vendedor del Año siempre había sido un poco vago, pero, según la tradición, la persona que tenía el porcentaje más alto sobre la cuota de ventas se llevaba la estatuilla dorada. Eduardo continuó—: Llega Blankenship y dice que dada la presión sobre la rentabilidad, este año la tasa de beneficio bruto tiene que ser el criterio principal. Después de dos horas más de politiqueos por todas partes, Cathy salió vencedora.

Jay pensó en la hoja de cálculo de final de año que había examinado unas semanas atrás y le pareció recordar que ella estaba alrededor de un cinco por ciento por delante de él en la contribución a la columna de beneficios de la compañía. No había pensado mucho en ello en aquel momento. Siempre había creído que Monte Beal, el representante de la parte norte de Carolina, era su único competidor serio.

—Eduardo, ¿estás seguro de esto?

¿*Tengo* negociafobia?

—Chico, ¿crees que te lo estaría contando si no fuera un trato cerrado? —Eduardo parecía tener sus fuentes un poco por todas partes y la precisión de sus anteriores informaciones no hacía más que aumentar la creciente sensación de pánico y rabia de Jay—. Jay, siento ser el portador de las malas noticias, pero ya que lo estamos poniendo todo sobre la mesa, más vale que sepas que es probable que también anuncien que es la nueva jefa de ventas regional del Medio Oeste. Al parecer, hace más o menos un año, fue a no sé qué taller de aptitudes negociadoras. Lo dirigía un ex profesor universitario, un tal doctor Pat no sé qué. Fíjate, ha venido a este crucero, y durante los dos próximos días va a realizar su taller a bordo, para todos nosotros, pobres desgraciados. ¿Te lo puedes creer? Mi Luciana y tu Laura van a disfrutar de las excursiones a la costa con el programa de los cónyuges, y nosotros acabaremos metidos en alguna oscura sala de reuniones con esa lumbrera.

Jay, todavía conmocionado, sólo pudo hacer una mueca y asentir. Luego continuó lentamente:

—¿Te puedes creer que a ese tipo se le ha ocurrido no sé que enfermedad que al parecer todos tenemos? Algo llamado, escucha bien, *negociafobia*. No hay duda de que Cathy Simmons tiene a Blankenship contra las cuerdas, ¿verdad?

Eduardo estaba absolutamente de acuerdo.

—Oye, Kay, me sabe muy mal haberte echado todo esto encima, así, de golpe. Pero de verdad que creía que lo sabías. Amigo mío, no pierdas de vista el año que has tenido. Fue de primera y las cosas te van a ir bien. Los dos somos supervivientes. De no ser así, ninguno de nosotros habría durado una docena de años en este sector de locos. ¿Estarás bien?

Jay le aseguró que estaba bien o, por lo menos, lo estaría. Eduardo le dijo que tenía que ir a ver si habían encontrado una de las maletas perdidas de Luciana y luego volver al camarote a recogerla.

—Os buscaremos a Laura y a ti en la cena. A lo mejor podemos hacernos con una mesa, si no tienen los asientos asignados. —Después de decir esto, desapareció, igual que el optimismo de Jay... que se había esfumado hasta la última gota.

Un encuentro casual

Jay miró el reloj y vio que todavía le quedaban quince minutos antes de tener que recoger a Laura. Entró en el Beach Shach Lounge y pidió un refresco. Mientras esperaba, notó que alguien se sentaba en el taburete de al lado, pero la verdad es que no estaba de humor para charlas.

—¿De dónde eres? —oyó que el hombre le preguntaba.

—Cleveland.

—Una ciudad bonita de verdad. Me gusta mucho ir, aunque no precisamente en invierno.

De acuerdo, se dijo Jay. El comentario era lo bastante positivo como para merecer que él le preguntara lo mismo.

—¿Y tú?

—Bueno, yo soy un poco de todas partes en estos días, pero sigo pensando que San Ángelo, Texas, es mi hogar —dijo el desconocido, con el marcado acento por el que se conoce a los oriundos de ese Estado.

Jay miró los pies del hombre y sus expectativas se vieron confirmadas.

—Bueno, las botas de *cowboy* te delatan. Debería haberlo sabido.

—Tengo que preguntártelo. Aquí estamos, en este crucero, y parece que se te haya muerto tu toro más premiado. ¿Qué te ha pasado? ¿Estás con ese grupo de XL que está por todas partes en el barco?

—Sí. Llevo doce años con ellos —dijo Jay, sin la más mínima emoción.

El desconocido dijo:

—¿No se supone que es un viaje de recompensa? Deberías estar celebrándolo, hombre.

Jay le dijo al texano que debería de haberlo visto una hora antes.

—*Estaba* en el séptimo cielo. El año pasado fue mi mejor año de ventas, y tenía una confianza absoluta en que sería igual este año. Casi todos mis clientes siguieron con nosotros y, además, conseguí añadir algunos nuevos para tener el porcentaje de ventas por encima de la cuota más alto de la compañía. Gané este viaje para mi esposa y para mí y pensaba que era un candidato seguro a vendedor del año. —Jay no estaba seguro de por qué se estaba confiando al desconocido, pero siguió hablando—: Además, era candidato a una promoción importante. Pero mi mejor amigo acaba de decirme que la mujer que es nuestro representante en San Luis me lo ha arrebatado todo. —El desconocido asintió y reconoció que era una historia dura de verdad.

—Mira lo que te digo —declaró el texano, con una nota de preocupación en la voz—. He visto cómo cambiaba el juego, ahí fuera, para todos mis clientes. Ha pasado de «todo negocio es buen negocio» a la concentración total en la rentabilidad; estamos en un modelo completamente nuevo.

Jay cobró ánimo y dijo:

—Eso del modelo es lo que al parecer me ha fastidiado. Ella me ha ganado en la aportación de beneficios. ¿Te lo puedes imaginar? Siempre hemos hecho lo que fuera necesario para conservar el negocio. Ya sabes, todo eso de «el cliente siempre tiene razón».

El nuevo amigo de Jay continuó:

—Esa mentalidad es muy como de El Álamo, hombre; es

historia, y la mayoría piensa que fue mucho mejor de lo que fue en realidad.

—Para más inri, parece que esta persona que va a recibir mi premio y mi promoción ha convencido a nuestro presidente para que nos encerremos con una especie de *experto* en negociaciones la mayor parte de los próximos dos días. ¿Te lo puedes creer? Se supone que ese payaso tratará mi *negociafobia*. Es doctor, así que imagino que se le ha ocurrido una enfermedad propia para tratarla. Lo más probable es que no haya vendido ni un centavo de sistemas de gestión de la información en su vida. ¡Increíble! He venido a un paraíso, pero cuando vuelva a casa, tendré que explicar a mis amigos y vecinos por qué no estoy nada bronceado.

Diciendo esto, Jay miró la hora que era y se dio cuenta de que Laura estaría impaciente, esperándolo en el pasillo. Siempre era puntual y él siempre se veía envuelto en situaciones como esta. Era igual que su padre, que nunca encontraba extraños, sólo nuevos amigos.

—Oye, gracias por escucharme hablar dale que te dale de mi inesperada decepción. Suelo ser mejor conversador. Mi nombre es Jay Baxter. ¿Y el tuyo, mi nuevo amigo de San Ángelo?

Los dos ahora de pie, el hombre dijo:

—Me llamo Pat, Patrick Perkins. Algunos de mis alumnos me llaman doctor Pat; otros me han puesto la etiqueta de Negociador de Un Minuto. Me llaman así porque sólo se tarda un minuto en poner en práctica muchas de las ideas que les doy, y reducen de verdad su nivel de estrés, además de tratar su *negociafobia*. Si recuerdo bien, tú crees que soy, ¿cómo era?... un payaso. Te veré a primera hora de la mañana, Jay Baxter. Por cierto, Jay, nunca se ha estado tanto tiempo en el juego como para no poder aprender cosas nuevas. La verdad es que no hay perros viejos mientras sigan aprendiendo los nuevos trucos.

Ideas de un minuto del capítulo 1

1. La *negociafobia* es una dolencia muy extendida y, con frecuencia, no reconocida que afecta de forma negativa a nuestra vida personal y profesional.

2. El mundo de los negocios actual es más difícil que nunca antes, pero con buenos conocimientos de negociación, se pueden lograr resultados positivos.

3. Cada vez más, se hace responsables a los profesionales del desarrollo del negocio no sólo por los ingresos, sino también por la rentabilidad final.

4. Hasta que graben la segunda fecha de nuestra lápida, nunca es demasiado tarde para aprender, mientras queramos tratar nuestra *negociafobia*.

2

Reflexiones a la luz de la luna y correcciones a mitad de camino

Ese condenado Eduardo

Jay había confiado en que, por una vez, la radio macuto de Eduardo se hubiera equivocado. Pero no fue así. Allí estaba Cathy Simmons con la estatuilla dorada que le pertenecía *a él*. Había prevenido a Laura de esta posibilidad, y estaba claramente abatida. Tuvo que usar todo su poder de persuasión para convencerla de ir a la cena. Acabaron sentados a una mesa donde no había nadie que conocieran, y luego tuvieron que soportar la horrible ceremonia de la entrega de premios. Cuando el presidente Blankenship anunció el ganador, más de la mitad de la sala se volvió a mirar a Jay, en lugar de a Cathy.

No había duda de que algo era cierto de Jay: siempre era un profesional consumado. Sonrió y aplaudió, como era lo debido; consiguió incluso arrastrarse hasta la parte frontal de la sala, después de que tomaran todas la fotos, y tenderle la mano a Cathy, felicitándola. Después de la cena, Bob Blankenship hizo lo imposible por encontrarlo y felicitarlo personalmente por su año.

—Jay, estamos muy contentos y orgullosos de tenerte entre los que han tenido un rendimiento más alto de nuestro equipo. Has tenido un gran año, y lo sucedido esta noche no cambia nada. Fue una decisión muy difícil para el comité eje-

cutivo, y ten la seguridad de que recibiste mucha consideración y apoyo.

Jay pensó: «Ya, pero no tu apoyo y, al final, eso es lo único
que importa».

—Como verás por la mañana, cuando dé el pistoletazo de
salida al taller de negociación, vamos a cambiar de estrategia y
hacer mucho más hincapié en la rentabilidad del cliente —prosiguió—. Estoy seguro de que adoptarás el sencillo sistema del
que vamos a hablar, y no me sorprendería lo más mínimo en-
tregarte esa estatuilla dorada a ti el año que viene.

Jay siempre había apreciado la manera en que Bob podía
poner buena cara hasta en un terremoto. Y sí, la tierra había
temblado bajo sus pies en unas pocas horas. Esta vez, la capacidad mágica de Bob para darle la vuelta a las cosas no duró
más de lo que tardó en estrechar la mano al siguiente grupo de
los que Jay veía como «perdedores».

En el mundo de Jay no había un segundo lugar. Pensó en
la película *Glengarry Glen Ross*. En esa cinta sobre vendedores, el primer premio en un concurso de ventas era un Cadi-
llac, y el segundo, un juego de cuchillos de carne. Se preguntaba: «¿Dónde están mis cuchillos para la carne?» En aquel
momento, comprendió que era mejor que no tuviera a mano
ningún objeto punzante.

El balanceo del barco

Sumado a todo lo demás, Laura se vio aquejada de un ligero
mareo. Jay la acompañó al camarote e hizo que se metiera en
la cama. Le preguntó si quería que se quedara con ella, pero
ella le dijo que estaría bien sola.

—Vete y disfruta con tus amigos, pero no te quedes demasiado rato.

Laura era un buen soldado, pero su desilusión era evidente, y muy justificada. Laura tenía la suficiente clase y lo apoyaba lo suficiente como para no mencionar el efecto que la victoria de Cathy iba a tener en sus planes para una nueva casa. Jay sabía que se avecinaba una negociación. Se dijo que, por lo menos, a diferencia de él, su esposa no tenía esperanzas de que lo promocionaran. Mientras iba hacia la puerta, ella le dijo: «Creo en ti». Se preguntó qué había hecho para merecerse una mujer así como compañera.

Mientras recorría los largos y estrechos pasillos del barco, Jay experimentaba una nueva forma de náusea: el desengaño. Con su hijo y su hija de camino a la universidad en los próximos años, sabía que pronto empezaría también a padecer de «educacionitis». Después de su desgraciada y demasiado franca conversación con el doctor Pat, un rato antes, no estaba de humor para estar con nadie. Ojalá pudiera evitar incluso su propia compañía. Jay se compadecía de sí mismo: «Para colmo, los próximos dos días será como si llevara una diana en la espalda, con ese *cowboy* de Texas. ¿Por qué habré abierto mi bocaza? ¡Soy un absoluto idiota!»

Todo el cuenco de cerezas

Al salir de la habitación, Jay había cogido un bolígrafo y un cuaderno. Recorrió la cubierta buscando una tumbona relativamente apartada, con la suficiente luz como para poder tomar algunas notas. Encontró el lugar ideal bajo la luz de una brillante luna llena y se sentó para calibrar lo que le había tocado en suerte en la vida. Como Eduardo había dicho, Jay se veía como un superviviente. En su primer año casi se había expulsado a sí mismo, a fuerza de juergas, de la Universidad Estatal. Le costó cinco años conseguir el título, pero acabó con una calificación media respetable. Cuando aceptó el puesto en XL, era su tercer trabajo después de la universidad. Para empezar, le dieron uno de los territorios más flojos del país. Una vez que lo hubo levantado, cinco años atrás, le recompensaron con lo que se consideraba una de las «peritas en dulce» de la compañía.

Durante su tiempo en el puesto, Jay trabajó tanto en cuentas pequeñas como grandes que, en conjunto, generaron un historial impresionante de crecimiento de ventas, que pasó del 9 al 19 por ciento, con una tasa media de crecimiento de alrededor de 15. La noticia del inminente ascenso de Cathy era como una bofetada en toda la cara. Se preguntaba qué más podría haber hecho. En este momento, no tenía respuestas. «¿Cómo se me han pasado por alto las señales que me advertían de que esto iba a suceder?», se preguntaba.

Al empezar a reflexionar sobre su actual suerte en la vida, primero se esforzó en no entregarse a un festín de autocompasión. Laura y él empezaron a salir en la universidad. Se casaron en el verano en que se graduaron. Nunca fueron unos tiempos especialmente fáciles, pero siempre se apoyaron mutuamente. En los últimos meses, a veces había llegado a ponerlo en duda, ya que Laura dedicaba cada vez más tiempo al teatro de la localidad y, recientemente, se había asociado con su hermana para abrir una tienda de ropa de mujer. Con los viajes de Jay, que eran de diez días al mes o más, su relación había evolucionado, pasando a ser de buzón de voz, mensajes de texto y notas pegadas en la nevera. Programaban una «noche para salir» por lo menos una vez al mes, pero la verdad es que llevaba mucho retraso en el cumplimiento de ese compromiso.

Jay se sentía orgulloso y agradecido de que Laura y él tuvieran dos hijos estupendos. Su hijo, Trey, acababa de cumplir 17 años y estaba considerado un jugador de béisbol firme en la pequeña liga universitaria, pero no era probable que le ofrecieran becas en ninguna de las principales universidades. Su hija, Ashley, era todo un caso. Ahora mostraba un fuerte interés en su vida social, enviando mensajes de texto con abreviaturas que volverían loca a una taquígrafa de tribunales, y comprándose bolsos de diseño que sometían a mucha tensión las tarjetas de crédito de la familia. Al pensar en las muchas negociaciones de su vida, tuvo que admitir que, con sus hijos adolescentes, su porcentaje de éxitos era muy bajo. Para ellos, «no» sólo significaba «todavía no es el sí», o era la señal para cambiar el progenitor con el que negociaban por un blanco más fácil.

Jay empezaba a darse cuenta del número y variedad de negociaciones a las que se enfrentaba en su vida personal. Justo antes de este viaje, su hermana le había dicho que estaba muy preocupada porque su padre empezaba a mostrar los primeros indicios de la enfermedad de Alzheimer. Olvidaba montones de pequeñas cosas, como dónde había aparcado el coche en el aeropuerto la última vez que volvió de un viaje a Saint Martin. Jay pensaba que después de haber pasado varios días relajándose en el Caribe, era de esperar que su padre olvidara en qué Estado vivía, y más aún el lugar donde había dejado el coche. Trató de quitarle importancia a la preocupación de su hermana, diciéndose que era una reacción exagerada, pero ella creía que los síntomas eran más graves y que deberían informarse de qué médicos especialistas y qué opciones de vida asistida había.

La bifurcación de la carretera

Yogui Berra es famoso por haber dicho: «Cuando llegues a una bifurcación en la carretera, cógela». Bueno, Jay sentía que los brazos de la bifurcación lo estaban ahogando. En aquel punto de su carrera, tenía varias alternativas, dada la extrema decepción sufrida el primer día del llamado viaje de recompensa. Empezó a tomar algunas notas. Primera alternativa: podía tirarse por la borda. No lo decía en serio, y no era una jugada propia de un superviviente.

Alternativa legítima número 1: Podía buscar un nuevo empleo, quizás incluso empezar en un puesto de dirección. La idea le parecía atractiva. De vez en cuando lo habían abordado otras empresas, tanto de dentro como de fuera del sector de la gestión de sistemas de información. Si elegía este camino, no habría ninguna Cathy Simmons en su vida. Todo el equipaje cargado en su cinta transportadora profesional desaparecería de inmediato. No cabía duda de que había aspectos positivos en esta alternativa, pero, en el otro platillo de la balanza, había invertido tanto de sí mismo en XL que odiaba cortar la relación y salir corriendo.

La alternativa número 2 giraba en torno a resistirse al cambio de estrategia de la compañía. Podía seguir adelante con unos resultados medios hasta que el juego volviera a cambiar. A una parte de sí mismo le gustaba este camino, pero tenía muchas dudas de que diera resultado. El doctor Pat había mencionado que la concentración en la rentabilidad parecía estar por todas partes. Además, *medio* era una palabra que nunca hubiera querido asociar con él.

La alternativa número 3 era trazarse un rumbo totalmente diferente: no limitarse a aceptar, sino abrazar plenamente el cambio que había irrumpido en su vida. Podía sacar el máximo provecho de esta oportunidad de aprendizaje y hacer que Bob Blankenship tuviera que cumplir lo que había dicho sobre entregarle la estatuilla dorada dentro de doce meses. Jay podía hacer que los desagradables sucesos de la noche fueran sólo un bache en la carretera o, mejor todavía, una señal de alarma. «Los tiempos duros no duran; la gente dura, sí», se dijo. Si aquel doctor Pat tenía razón, podría aplicar unos cambios relativamente menores en su sistema y generar grandes cambios en sus resultados.

Si éste era el nuevo juego del mundo de los negocios, podía aceptarlo y esforzarse por aprenderlo de la persona que, al parecer, era la primera de la compañía que había tratado su *negociafobia*. Podía abordar al doctor Pat a primera hora de la mañana, decirle que estaba allí para aprender y que sería un alumno atento y sin ideas preconcebidas. Podía hacer una inmersión completa en su tratamiento.

Después de dedicar menos de un minuto a examinar atentamente los tres posibles caminos, Jay decidió que la última opción era la alternativa más viable, y se comprometió a no sólo recorrer, sino a lanzarse a toda velocidad por ese camino. Incluso escribió esta decisión en una página de su cuaderno, y la firmó. Ahora estaba plenamente comprometido.

Ideas de un minuto del capítulo 2

1. Podemos notar un defecto en nuestra capacidad para negociar como si fuera un golpecito que nos dieran en la espalda; pero para generar un cambio de conducta, con frecuencia se necesita una bofetada en toda la cara.

2. Nuestro pasado es el resultado de la experiencia que hemos conseguido y de las decisiones que hemos tomado, y nuestro futuro se verá moldeado por las opciones que elijamos hoy y por las que todavía tienen que llegar.

3. No te limites a esperar a que vuelva el antiguo juego; aprende el nuevo. Lo único constante es el cambio, y la única seguridad real en el trabajo que tenemos hoy es nuestro propio banco de conocimientos significativos.

4. La vida nos presenta una serie de oportunidades de aprendizaje. Si decidimos dejar de aprender, hemos puesto en marcha nuestra propia caducidad.

3

El sistema EASY (FÁCIL)
para tratar la *negociafobia*

Un nuevo día para Jay

Cuando Jay saltó de la cama a la mañana siguiente, estaba totalmente decidido a seguir la única alternativa profesional viable que tenía para avanzar desde aquel punto de su vida. En un libro de Ken Blanchard había leído que «la gente cambia cuando el dolor de no cambiar es mayor que el dolor de cambiar». Jay había experimentado su noche de dolor, y su decisión era entregarse por completo al cambio que le había dado en plena cara el día antes. Estaba totalmente decidido a aprovechar al máximo la oportunidad de aprender lo que prometía ser un sencillo sistema para tratar su *negociafobia*, y así aumentar de forma significativa la aportación de beneficios generada en su territorio.

Cuando le dio un beso de despedida a una Laura que, al parecer, estaba plenamente recuperada, ésta le dijo que procurara tener un buen día. Él le respondió que tenía intención de tener no sólo un día bueno, sino excepcional.

—¿Qué clase de transformación experimentaste anoche? —preguntó Laura.

—Recibí una fuerte dosis de perspectiva y realidad. Te quiero, cariño —respondió Jay sonriendo, mientras se despedía con un gesto, dándose unos golpecitos sobre el corazón, como siempre hacía para ella, y luego cerró silenciosamente la puerta.

El doctor ya ha llegado

Cuando Jay llegó, la única señal de vida en la sala de reuniones era el personal que estaba acabando de organizarlo todo. Cuando el doctor Patrick Perkins entró, esta vez con un par de botas de *cowboy* más reluciente, Jay se le acercó para modificar los comentarios que había hecho la noche antes. Mientras se dirigía hacia el ungido «Negociador de Un Minuto», el doctor Pat dijo alegremente:

—Buenos días, míster Jay Baxter. Parece que hemos llegado temprano.

Mientras se estrechaban la mano, Jay empezó a darle una explicación sobre su reconocida resistencia al aprendizaje de la noche anterior.

El doctor Pat ni siquiera lo dejó terminar.

—No te preocupes por los comentarios que hiciste anoche. Probablemente debí de decirte quién era, pero generalmente me gusta permanecer, digamos, de incógnito el día antes de una sesión para hacerme idea de las actitudes de la gente al abordar el taller. Verás que esta mañana empiezo la reunión con una pregunta para todos sobre qué queréis sacar de esta oportunidad. De lejos, la respuesta más sincera que me han dado fue un tipo que dijo: «¿Yo? Sobre todo, lo que quiero es largarme de este taller».

Los dos soltaron la carcajada. El doctor Pat le dijo a Jay que se hiciera con un buen asiento, y Jay colocó su material en la mesa de la primera fila.

Carga contra las tropas

Algunos minutos más tarde, cuando Eduardo entró en la sala, echó una ojeada a la escena, luego fue hasta Jay y le preguntó:

—¿Qué estás haciendo aquí delante? Desde aquí no es fácil escapar. Podrías atrapar algo sentado tan cerca.

Jay sonrió a su amigo y le dijo:

—Parece que ya he pillado *negociafobia*, y estoy aquí para recibir tratamiento. Te he guardado esta silla, compañero.

Frunciendo el ceño, Eduardo se sentó.

Unos minutos después, el presidente Blankenship dio el pistoletazo de salida al taller. Sus breves comentarios repetían lo que le había dicho a Jay la noche antes. Se centraban en el hecho de que el juego había cambiado. Ya no era sensato estratégicamente evaluar a los vendedores según sus ventas brutas y esperar que la empresa generara, como por arte de magia, los beneficios finales deseados.

—Siempre hemos dado un valor excepcional a nuestros clientes. Los sistemas de información que diseñamos y ponemos en práctica, trabajando con ellos, son fundamentales para el éxito global de sus organizaciones. Ha llegado claramente la hora de asegurarnos de ser compensados equitativamente por el valor que damos. XL Information Solutions no proporciona un sistema de gestión de la información indiferenciado y, sencillamente, no podemos cobrar como si lo hiciéramos. Los recursos de nuestra compañía y vuestra pericia individual no son ilimitados, sino que sus existencias son limitadas. Es preciso que nos centremos en aquellos clientes que comprenden, aprecian y están dispuestos a pagar el trabajo excepcional que hacemos.

»El doctor Patrick Perkins —continuó— nos va a ayudar a reconocer y desarrollar una actitud mental de negociación que nos lleve a conseguir justamente eso. Quiero hacer hincapié en lo mucho que ahora utilizo el sistema único del que me hizo partícipe durante el tratamiento de mi *negociafobia*, unos seis meses atrás. La razón de haber contratado los servicios del doctor Pat es que lo que nos ofrece es fácil de usar, y una buena parte se puede utilizar en un minuto o menos. Para daros un ejemplo, sólo el miércoles pasado estaba en las etapas finales de una negociación con uno de nuestros principales proveedores. Me sentía tentado a aceptar lo que era una buena contraoferta que habían puesto sobre la mesa. Luego oí la voz del doctor Pat en mi cabeza diciendo: "Dales unos segundos de silencio y a ver qué pasa". Eso fue lo que hice, y ofrecieron un acuerdo sobre las condiciones de pago que liberará capital y afectará de forme perceptible a la rentabilidad de XL. Prestadle al Negociador de Un Minuto absolutamente toda vuestra atención, y comprenderéis que no hay *nada,* y quiero decir nada, más importante a lo que pudierais dedicaros durante los próximos dos días que estar aquí y aprender lo que él va a compartir con vosotros. Ahora, por favor, uníos a mí para dar la bienvenida al líder de nuestro seminario, el doctor Patrick Perkins.»

Todos aplaudieron sumisamente, y el doctor Pat tomó la palabra.

¿De qué hablamos?

Después de algunas actividades iniciales y de la antes mencionada identificación de lo que cada uno quería conseguir de los dos días, se explicó brevemente la agenda del tiempo que pasarían juntos. Una vez completado esto, el doctor Pat pasó rápidamente al contenido del taller.

Señaló que para que los participantes mejoraran efectivamente sus aptitudes y su sistema de negociación, sería esencial ver cuál era su descripción del tema. Su definición ya estaba escrita en un rotafolio:

> Una negociación es un proceso en curso en el que trabajan dos o más partes, cuyas posturas no son necesariamente concordantes, para llegar a un acuerdo.

Llamó la atención sobre las partes cruciales de esta frase. La primera era la palabra *proceso*. El doctor Pat insistió en que la mayoría de personas piensa que una negociación es algo que sucede sólo después de que las partes hayan puesto sus peticiones o posiciones sobre la mesa. En realidad, las negociaciones suelen ser un proceso continuado, y los que se centran estrictamente en la fase decisoria reducen en mucho su eficacia.

El doctor Pat aclaró que las fases de identificación de la necesidad y la puesta en práctica posterior a la decisión suelen ser las partes más importantes del proceso de negociación. A continuación preguntó cuál pensaban los participantes que era el siguiente componente en importancia. Monte Beal, de Nueva York, propuso el segmento de partes múltiples. El doctor Pat explicó: «En una negociación están tanto los presentes como los que permanecen entre bastidores. Los que están entre bastidores reciben el nombre de partes interesadas y, con frecuencia, tienen un impacto mayor en lo que se dice y hace que los presentes en la mesa».

Los siguientes componentes de que habló el doctor Pat eran el problema de unas posiciones iniciales incompatibles y el esfuerzo por llegar a un acuerdo. Dijo que mientras no se haya alcanzado un acuerdo, no hay ninguna garantía de que se llegue a alcanzar nunca. «He visto cómo lo que parecían problemas muy secundarios y diferencias pequeñas, mal llevados mataron un trato importante. Por el lado positivo, reconozcamos que, mientras las partes sigan hablando, sigue siendo posible el éxito. Incluso si te están chillando, por lo menos siguen hablando contigo. El proceso de negociación sólo está muerto cuando una parte, o ambas, dejan permanentemente de comunicarse.»

El doctor Pat profundizó en la explicación: «Unas posturas iniciales discrepantes son un aspecto de la negociación que suele malinterpretarse. Si yo vendo un coche y tú lo pruebas, me preguntas cuánto pido por él, y yo te digo 6.500 dólares, y tú estás de acuerdo, parece perfecto, ¿no?» Aclaró que este medio de llegar a un acuerdo no es, realmente, una negociación, sino un acuerdo de entrada. Aunque parece perfecto, al final es probable que ninguna de las partes acabe satisfecha. «De camino a casa, es probable que tú empieces a pensar que has pagado demasiado y que quizás habrías podido comprar el coche por menos. Yo, la otra parte del trato, cuando vaya al banco a ingresar el cheque, quizás empiece a pensar que podría haber conseguido hasta 8.000 dólares por el coche y que, por lo tanto, he dejado un montón de dinero sobre la mesa.»

Hizo una corta pausa, para dar tiempo a que los participantes reflexionaran sobre esta idea, y luego continuó: «Así que ya veis, aunque un acuerdo inicial pueda parecer la felicidad absoluta, en realidad es sólo mediante el tiempo y esfuerzo que dedicamos a una negociación como podemos alcanzar un acuerdo que ambas partes sientan que tiene en cuenta sus intereses.

»Por cierto, en las negociaciones casi todo el mundo hace hincapié en el precio, como en el ejemplo del coche que he usado. Un negociador experto os dirá que si ellos te dejan que fijes el precio y tú les dejas que sean ellos quienes fijen los términos, las condiciones y otros aspectos, te derrotarán siempre. Por ejemplo, el que aceptó comprar el coche podría decir: «Pagaré ese precio, pero sólo con la condición de que lo vuelvan a pintar, le pongan neumáticos nuevos, le hagan una puesta a punto y pueda pagarlo en plazos durante dos años». Explicó que esto podría acabar siendo un trato mucho mejor para el comprador que tratar de conseguir un precio algo más bajo y luego tener que pagar para que hicieran todos esos trabajos.

La epidemia de *negociafobia*

Ahora el doctor Pat cambió de marcha y pasó de definir qué es una negociación a explicar por qué tanta gente tiene miedo de esa actividad, e incluso de la palabra misma. «Hoy, la mayoría padece una enfermedad muy estressante que limita su éxito y convierte en marginal el valor que aportan a su empresa. Está tan extendida que ha llegado a ser una epidemia. *"Negociafobia"* es el nombre que yo le he dado a esta enfermedad, que implica una deficiencia de habilidad y actitud. Los síntomas son no sólo el miedo y la aversión hacia la negociación, sino también la inclinación a vivir en un statu quo en lugar de trabajar para forjar resultados más favorables. Entre los síntomas de la *negociafobia* está el decirse a uno mismo que ahora no es el momento de crear complicaciones. Se trata de la añoranza por "los buenos tiempos", cuando todo era más fácil. Os pido que me digáis un día cualquiera en que la gente de empresa haya dicho: "Estos son los buenos tiempos". Siempre nos hemos enfrentado a problemas, y hoy no es muy diferente.»

El doctor Pat hizo hincapié en que lo primero para tratar esta enfermedad es reconocer que tenemos estos miedos, estos sentimientos, estas limitaciones. «Levantad las manos los que estéis dispuestos a admitir que, con frecuencia, teméis, e incluso evitáis, las negociaciones a que os enfrentáis en cualquier aspecto de vuestra vida. Venga, ánimo, os sentiréis mejor después de reconocerlo.» Jay levantó no una, sino las dos manos y, al verlo, Eduardo soltó una carcajada.

El doctor Pat culpó a dos factores principales de ser los agentes de la enfermedad de la *negociafobia*. Primero, indicó que muchas personas ven en las negociaciones actos de combate o conflicto. «La mayoría sólo quiere estar de acuerdo y llevarse bien con los demás. Detestan la inseguridad y se apresuran a alcanzar cualquier tipo de acuerdo, aunque sea malo. No quieren discutir y enfrentarse a todo el estrés y el rencor que, en su opinión, crean las negociaciones.

»Dejadme que os hable de dos perspectivas diferentes. Primero, no es muy difícil superar vuestra *negociafobia* y llegar a ser un negociador muy competente. Segundo, no es necesario que estos sentimientos negativos prevalezcan y, con frecuencia, es posible controlarlos en muchas de las negociaciones en las que participéis.»

La segunda razón que ofreció para explicar por qué la *negociafobia* alcanzaba proporciones de epidemia era una ausencia general de inversión en el desarrollo de la aptitud para negociar. «¿Cuántos de vosotros habéis leído un libro o asistido a un taller sobre destrezas de negociación... antes de hoy, claro?» Sólo Cathy Simmons y Bob Blankenship levantaron la mano. «Este es el porcentaje típico que veo día tras día cuando trabajo con profesionales de la empresa en todo el mundo. La negociación es una actividad en la que nos vemos obligados a participar cada día, pero raramente tenemos la oportunidad de dedicar tiempo y dinero a mejorar en ella. Señoras y señores, para todos vosotros, el tratamiento de esta enfermedad empieza en este lugar y en este mismo momento.

Tratamiento EASY en tres pasos

A continuación, el doctor Pat ofreció un resumen de su sencillo sistema para tratar a los *negociafóbicos*. «Hay personas que quieren complicar excesivamente el proceso de negociación. Otras tratan de simplificarlo en exceso y aplican un planteamiento de talla única. Mi "consulta" sigue las directrices de un tipo muy listo: Albert Einstein, que dijo: "Haz que las cosas sean tan sencillas como sea posible, pero no más sencillas". Lo más interesante de este sistema en tres pasos es que sirve de forma simultánea como cura para la *negociafobia*, y como medio para mejorar los resultados de la negociación. Es un tratamiento fácil pero potente.»

El doctor Pat pasó ahora al primer Paso. «El principio del sistema de tres pasos para mejorar vuestra negociación es *poner en marcha* [*Engage*] el tratamiento. Permitidme que deje muy claro que para que cada uno de vosotros inicie este proceso, primero debéis reconocer que estáis en una negociación. En vuestra cabeza se debe disparar un mecanismo que os ordene emprender el proceso EASY. Con ese mecanismo activado, a continuación avanzáis haciendo una rápida revisión mental de las estrategias de negociación viables. Enseguida hablaremos de *cómo* negociar conociendo y reconociendo brevemente las diferentes estrategias. Dada mi experiencia, puedo detectar cuándo una situación exige negociar, y reviso muy rápidamente las diferentes estrategias. Cuando hayamos concluido nuestro debate, vosotros podréis hacer lo mismo.»

PASO 1	**Engage - Poner en marcha:** Reconoce que estás en una negociación y revisa rápidamente las estrategias viables.

A continuación, el doctor Pat describió la segunda fase del tratamiento prescrito. «En el Paso 2 del tratamiento, *evalúa* [*Assess*] tus tendencias estratégicas, así como las tendencias de la otra parte (o de las otras partes). Basándonos en nuestra naturaleza elemental y en nuestras experiencias, cada uno entra en cualquier negociación con una propensión más o menos alta a utilizar cada una de las estrategias de negociación. Si, por defecto, recurrimos a la actitud a la que estamos acostumbrados, tenemos una suerte monumental, y todas las estrellas están en armonía, puede que todo salga a pedir de boca. Por desgracia, para los *negociafóbicos* no tratados, mi experiencia me enseña que todos estos factores concurren en menos de un 20 por ciento de veces. Esto significa que cuatro de cada cinco veces actuamos como nos resulta cómodo, pero que eso nos proporciona una probabilidad de éxito muy baja.»

PASO 2	*Assess - Evaluar:* **Calibra tu tendencia a usar cada una de las estrategias de negociación, así como las tendencias de la otra parte (o de las otras partes).**

El doctor Pat continuó: «Además de conocerse a sí mismos, los negociadores de altura interpretan rápidamente a la otra parte, porque nadie negocia en un vacío. Hay, por lo menos, dos lados en la mesa de negociaciones, y sólo puedes tener esperanzas de controlar el lado en el que te sientas; y a veces, eso ya es un gran reto. Si acabas sintiéndote cómodo con este tratamiento fácil, una gran parte del tiempo podrás saber rápidamente cómo es probable que ellos negocien contigo.

»El tercer y definitivo Paso es *Decidir tu estrategia [Strategize]* al elegir el planteamiento adecuado para esta negociación en particular. Además de considerarte a ti mismo y considerar a los demás que se sientan a la mesa, este último paso también tiene en cuenta la auténtica importancia de la ocasión. Sencillamente, escoges el mejor planteamiento, lo usas, compruebas el efecto, y luego sigues adelante o lo modificas, según el progreso que estés haciendo. Esta experiencia de aprendizaje está concebida para que acabes siendo muy competente en todo tipo de negociaciones, de forma que, sea cual fuere la dirección que tome el otro lado, puedas seleccionar una estrategia y enfrentarte a su elección con eficacia.

| PASO 3 | **Strategize - Decidir la estrategia: Elige la estrategia adecuada para esta negociación en particular.** |

Para cerrar la introducción del equipo de XL al tratamiento en tres pasos, el doctor Pat preguntó: «¿Cuántos de vosotros encontráis que los acrónimos son útiles? Bueno, quizás os hayáis dado cuenta, o quizá no, pero acabamos de construir un acrónimo fundamental que nos acompañará durante el tiempo que pasemos juntos. Os prometí que tratar la *negociafobia* sería fácil. Por lo tanto, cada vez que estéis en una negociación, si revisáis los tres pasos en cuanto se relacionan con la situación —lo que yo llamo "Ejercicio de un minuto"— tendréis más éxito en vuestras negociaciones. Si os tomáis ese minuto para revisar, descubriréis, sin ningún género de dudas, que esta preparación es una herramienta muy útil, usaréis estrategias y tácticas mejores, y llegaréis a ser un excelente Negociador de Un Minuto.

»Y para seguir ayudándoos a vencer vuestra *negociafobia*, aquí tenéis un acrónimo fácil que os ayudará a recordar el método: EASY: *Engage, Assess, Strategize,* y *Your One Minute Drill* (Emprender, Evaluar, Decidir la estrategia, y el Ejercicio de Un Minuto). Si el doctor Pat os promete que será fácil, es que está absolutamente seguro de que os será E-A-S-Y.»

> *Ejercicio de un minuto:* **Cada vez que entres en una situación de negociación, tómate un minuto para revisar los tres pasos.**

El doctor Pat continuó dando a los participantes de XL más confianza, si cabe, sobre el viaje que acababan de empezar. «En un periodo de tiempo muy corto, el Ejercicio de Un Minuto se habrá convertido en algo natural para vosotros; lo haréis sin pensar. ¿Cuántos tuvisteis que pensar en poneros el cinturón la primera vez que condujisteis un coche?» Todas las manos se alzaron. «Bien, ¿cuántos tenéis que pensarlo ahora?» Sólo hubo sonrisas por toda la sala. «El Ejercicio de Un Minuto es vuestro cinturón de la negociación.»

Un paso más

«La pregunta que más me hacen sobre el sistema de los tres pasos es cuál de ellos es el más importante. Mi respuesta de sabelotodo es: "El que os saltáis. El que os hace tropezar cuando subís corriendo las escaleras de casa para ir a buscar las llaves es aquél en el que no pensasteis". Lo mismo pasa con las negociaciones. La verdad es que el primer paso, emprender, tiene que ser el más importante. Si el mecanismo de vuestra cabeza no se ha puesto en marcha y no comprendéis claramente las estrategias viables para negociar, el tratamiento fácil contra la *negociafobia* ni siquiera empieza. Ciertamente, esto no significa que no deis importancia a los otros dos pasos cuando hagáis el ejercicio.»

Según se acercaba el final de la primera sesión, el doctor Pat se puso muy serio para hacer una promesa al grupo. «Os garantizo que si todos vosotros os concentráis en aprender cómo hacer estos tres pasos bien, llegaréis a ser unos negociadores muy competentes. Controlaréis efectivamente vuestra *negociafobia* y disfrutaréis de un alto nivel de éxito reduciendo vuestro estrés y generando los resultados que buscáis en vuestras negociaciones. También seréis más eficientes, sin consumir más recursos, incluyendo el tiempo, de los necesarios para producir estos resultados superiores. Con una reflexión y una práctica limitadas, podréis ver estos pasos y hacerlos en sólo un minuto. Cuando penséis en las negociaciones realizadas con éxito, reconoceréis el valor de poner en práctica este sistema. Cuando las cosas no resulten tan bien, debéis volver, de inmediato, a examinar el proceso utilizado para ver qué pasos quizás hayáis pasado por alto o no ejecutado adecuadamente. Bien, ahora id a buscar algunas pastas y café y volved dentro de catorce minutos y medio.»

Ideas de un minuto del capítulo 3

1. Se produce una negociación cuando dos o más partes perciben diferencias en sus posiciones y hacen el esfuerzo de reducir distancias y llegar a un acuerdo.

2. Como sucede con la mayoría de enfermedades, lo primero para tratar la *negociafobia* es reconocer que la tienes.

3. Tememos negociar por dos razones primordiales: una generalizada falta de conocimientos, y una mala interpretación de la naturaleza del proceso, que lleva a un equivocado deseo de evitar el conflicto.

4. El tratamiento de la *negociafobia* es un proceso fácil que empieza poniéndote en marcha, al revisar qué es una negociación y qué opciones estratégicas tienes; evaluando tus propias tendencias y las tendencias de la otra parte y, luego, decidiendo tu estrategia para identificar qué planteamiento encaja mejor en la situación. La revisión de estos pasos comprende el Ejercicio de Un Minuto, que debe orientar el proceso de toda negociación.

4

Cómo poner en marcha el tratamiento

La actitud lo es todo

De vuelta a sus asientos, Eduardo y Jay tuvieron un momento para charlar. Estaba claro que ahora Eduardo se sentía más positivo sobre las cosas. «Jay, es todavía demasiado pronto para saberlo seguro, pero parece que este tío va a estar bien. Espero que su método fácil sea tan sencillo y rápido como dice que es. Una vez empecé a leer un libro sobre negociación, y todo parecía muy complicado. ¿Quién puede acordarse de veinticinco o treinta cosas cuando estás en plena batalla?» Jay estuvo de acuerdo con su amigo y añadió que si había un medio de reducir el creciente nivel de estrés que había en todos los aspectos de su vida, era todo oídos.

Después del descanso, el doctor Pat volvió al Paso número uno del tratamiento EASY de la *negociafobia*. Sabiendo qué es una negociación y reconociendo que estaban en una, ahora el equipo de XL consideraría las cuatro estrategias de negociación viables.

«Una cosa que he llegado a reconocer al trabajar con los negociadores —empezó el doctor Pat— es que con frecuencia cometen el error de lanzarse a aplicar una táctica sin haber pensado siquiera qué estrategia daría mejor resultado. Rechazan unos precios o hacen unas demandas que, a menudo, llevan todo el proceso en una dirección errónea. Puede que quieran ir a Los Ángeles, pero acaban de subirse a un avión que va a Nueva York. Recordad que la estrategia es la dirección que elegís, y las tácticas son los movimientos que haréis para alcanzar vuestro objetivo.

En la pantalla, el doctor Pat proyectó una imagen para recordarle al grupo que seguían estando en el Paso 1 del tratamiento, ya que las tres primeras casillas estaban sombreadas en gris.

Ejercicio de Un Minuto: Cada vez que entres en una situación de negociación, tómate un minuto para revisar los tres pasos.

Paso 3 *Decidir la estrategia:* Elige la estrategia adecuada para esta negociación en particular.

Paso 2 *Evaluar:* Calibra tu tendencia a usar cada una de las estrategias de negociación, así como las tendencias de la otra parte (o de las otras partes).

Paso 1 ***Poner en marcha:* Reconoce que estás en una negociación y revisa rápidamente las estrategias viables.**

© U.S. Learning.

La confusión sobre el compromiso

Antes de empezar a hablar de las cuatro estrategias, el doctor Pat le dijo al grupo que hay una técnica común que se suele utilizar para negociar y que era preciso que todos adquirieran una perspectiva nueva y más apropiada de ella. Afirmó que el compromiso causa más confusión sobre la naturaleza de las negociaciones que cualquier otro aspecto. Afirmó que esta es la táctica que más se usa y de la que más se abusa. «En la mayoría de casos, ese compromiso no debería estar en el apartado de cómo negociar, sino en el de cómo *no* negociar. Permitidme que insista en que el compromiso *no* es una estrategia legítima que se pueda usar cuando se considera y se aborda una negociación. Es una de esas acciones tácticas prematuras que he mencionado, y estoy aquí y ahora para advertiros respecto a su uso.»

El doctor Pat definió el compromiso como una operación matemática utilizada para dividir la diferencia entre las posturas divergentes defendidas por las partes de una negociación. Retomó el ejemplo de la venta del coche y dijo que si él pedía 7.000 dólares y el comprador ofrecía 5.000, para llegar a un compromiso sumarían las dos cifras y dividirían el resultado por dos. Eso les daría 6.000 dólares.

«La excusa que se da para utilizar el compromiso es el deseo de que todos estén contentos. Pero si el comprador está convencido de que el coche sólo vale 5.000 dólares y paga 1.000 dólares más, no va a estar muy contento. Igualmente, el vendedor tampoco estará contento consiguiendo 1.000 dólares por debajo de lo que pensaba que era un precio justo.»

El doctor Pat lo aclaró un poco más antes de dejar el tema del compromiso como factor del Paso 1, el de poner en marcha el proceso. «No quiero que abandonemos este tema pensando que el compromiso siempre es una mala táctica. Tiene su lugar, y esto es lo que me gustaría que recordarais para ayudaros a utilizarlo adecuadamente. Sólo se debe usar hacia el final del proceso de negociación, después de que se hayan seleccionado y utilizado plenamente las estrategias de negociación, cuando sólo quede una pequeña diferencia en la posición de un único aspecto, y siempre debe estar directamente vinculado a un acuerdo. Si se usa en estas circunstancias, puede ser una táctica valiosa para alcanzar el acuerdo.» Muchos de los participantes reconocieron que se habían lanzado prematuramente a aplicar esta táctica en muchas de sus negociaciones.

La matriz de negociación 2 x 2

El tono del doctor Pat se hizo mucho más grave que en cualquier momento anterior. «Quiero que seáis muy conscientes de que poner en marcha el tratamiento contra la *negociafobia* debe basarse en la comprensión de las cuatro estrategias de negociación legítimas. Después de llevar casi una década trabajando en este campo de conocimientos, una noche, mientras volaba de costa a costa, saqué un bloc y un bolígrafo para ver si podía describir y demostrar mejor la relación que hay entre las diversas maneras en que se desarrollan las negociaciones. Después de cuatro bolsitas de galletitas saladas, una considerable frustración y una serie de páginas malgastadas, llegué a la conclusión de que la mejor manera de evaluar y el modo más fácil de comprender las estrategias de negociación es observar dos dimensiones importantes: activación y cooperación.»

A continuación preguntó a los participantes:

—De niños, cuando uno de vuestros padres entraba en la habitación donde vosotros y un hermano os estabais peleando, ¿qué era lo primero que preguntaban?»

Varias personas del público respondieron de inmediato:

—¿Quién ha empezado?

—Esa —dijo—, es la esencia para comprender la activación. —En el rotafolio dibujó una línea vertical con las palabras *reactivo* en la parte inferior, y *proactivo** en la superior. Explicó que, en una negociación, las partes proactivas están dispuestas a iniciar y promover el proceso, mientras que las partes reactivas se limitan a reaccionar a lo que la otra parte ha dicho o hecho. El doctor Pat afirmó que, en un alto porcentaje de situaciones, es mucho mejor ser proactivo cuando se necesita una negociación para solventar las diferencias. Señaló que sentarse a esperar que las cosas se solucionen por sí mismas raramente da buenos resultados, haciendo referencia a sus anteriores comentarios sobre la *negociafobia* y sobre continuar viviendo con un statu quo inadecuado y, con frecuencia, en deterioro. Jay pensó en su relación con su hermana y sus discusiones en torno a la salud de su padre. Ella era proactiva, mientras que él, ahora se daba cuenta, ni siquiera había sido adecuadamente reactivo.

A continuación el doctor Pat prestó atención a la segunda dimensión de la matriz: cooperación. Afirmó: «Cuando consideramos estrategias de negociación, nos situamos, en grados diversos, en un nivel alto o bajo de esta dimensión». Esta vez dibujó una línea horizontal en el papel, que cortaba la línea de activación por la mitad. «Los negociadores con *cooperación baja* (izquierda) sólo se ocupan de sí mismos y se centran en su propia agenda, mientras que los negociadores con *cooperación alta* (a la derecha) muestran interés por

---

* *Proactivo*: Anglicismo cada vez más utilizado: que crea o controla una situación tomando la iniciativa; persona dinámica, entusiasta. *(N. del E.)*

Matriz de la estrategia de negociación

Proactivo

Competición	Colaboración
Evitación	Acomodación

Cooperación baja — Cooperación alta

Reactivo

comprender y tratar de solucionar no sólo sus propios problemas y necesidades, sino también los de la(s) otra(s) parte(s).»

Mientras los participantes acababan sus propios dibujos, dijo: «Probablemente, queréis saber qué palabras van en las cuatro casillas que hemos creado al cruzar las dos líneas. Bien, ahora tenemos un medio sencillo para situar las cuatro estrategias de negociación legítimas de una manera que debería aclarar la naturaleza de la estrategia o estrategias que se pueden usar en cualquier situación de negociación.

Esconder la cabeza en la arena

«La primera estrategia que consideraremos será la *Evitación*. Me gustaría dejarla para más tarde, pero no puedo.» Después de una pequeña pausa en busca de efecto, el doctor Pat consiguió unas buenas risas por su comentario. «Se trata de un planteamiento reactivo y de cooperación baja (parte inferior izquierda), y a esta casilla de la matriz le dimos el color gris en la proyección gráfica, porque es una estrategia de negociación que se sitúa en la zona gris de no negociar abiertamente en absoluto. Es la estrategia a la que los *negociafobos* no controlados recurrirán un alto porcentaje de veces.

»Un animal que podéis visualizar cuando se trata de la evitación es el avestruz —continuó el doctor Pat—. El condenado bicho entierra la cabeza en la arena cuando se enfrenta a un peligro. No es extraño que sea una de las pocas aves que no puede volar. Por lo general, esta estrategia tampoco levanta el vuelo. Con frecuencia, la gente usa la coartada de que, en este momento, no tienen tiempo de ocuparse del asunto. Permitidme que comparta un secreto con vosotros: no tenéis tiempo para *no* ocuparos de los asuntos importantes ni para solucionarlos. Hay casos en que la evitación es como un ataque, pero hablaremos de esas circunstancias más adelante.»

Con la intención de igualar el tanteo, Jay le pasó a Eduardo una breve nota: «Oye, bestia parda, ¿eso que veo detrás de tu oreja derecha es arena?»

Cómo controlar la hemorragia

A continuación, el doctor Pat señaló *Acomodación* en la casilla inferior derecha de la matriz, indicando que es una estrategia reactiva, que va acompañada de un alto nivel de cooperación. Explicó que tenía asignado el color amarillo porque, igual que la luz intermedia de un semáforo, la acomodación es una estrategia que se debería usar sólo con una gran precaución. La acomodación —continuó— era básicamente la actitud de ceder y proporcionarle a la otra parte lo que pide, o permitirle que lo coja.

«Si te quedas sin combustible en mitad del oeste de Texas y llega una grúa con un enorme bidón lleno de cuarenta litros de gasolina, sin ninguna duda te acomodarás al precio y a casi cualquier otra cosa, y es lógico —afirmó—. A mí me pasó una vez y el conductor no aceptaba tarjetas de crédito. Yo no tenía dinero en efectivo. Supongo que todavía debe de llevar mi primer Rolex. —El grupo soltó una sonora carcajada.

»Cuando te acomodas, tus muñecas sangran.» Preguntó si había algún ex *boy scout* o *girl scout* entre el público. Jay levantó la mano y antes de darse cuenta, soltó impulsivamente: «Yo fui un Águila». El doctor Pat le preguntó qué se pondría por encima del codo, si estuviera sangrando debido a un corte en la muñeca. Pensando en varias décadas atrás, Jay respondió: «Un torniquete para controlar el flujo de sangre». De hecho, años atrás había utilizado un pañuelo grande como torniquete, atándolo alrededor del brazo de un amigo, cerca del codo, cuando éste se cortó por accidente con una roca afilada. El doctor Pat le aclaró al grupo que, en las negociaciones, comprender que, en realidad, nos estamos acomodando es nuestro «torniquete», que limitará el flujo de dinero o de otros recursos que tenemos para darle a la otra parte, a fin de conseguir o conservar un trato.

«Armados con esta información, debemos reconocer la necesidad de acomodarnos sólo con mucho cuidado, para estar seguros de no volver a encontrarnos en la misma posición con la misma parte negociadora en el futuro. A fin de trabajar para llegar a una situación más favorable, es necesario reforzar nuestra posición con esta parte, o buscar otra alternativa antes de negociar con ellos de nuevo —advirtió.

»Un error muy corriente en las negociaciones es pensar que podemos *construir* relaciones por medio de la acomodación —explicó el doctor Pat—. Es como poner un plato con nata junto a nuestra puerta trasera para ahuyentar a un gato sin dueño. Mañana, el animalito volverá acompañado de muchos amigos.» Dijo que, como estrategia, la acomodación sólo te permite *poner a prueba* las relaciones. Si la otra parte se aprovecha de ti cuando te acomodas, averiguas que, para empezar, no tenías una relación.

Llegado este punto, Jay se dio cuenta de que se había acomodado con mucha frecuencia a varios de sus clientes y que, la mayor parte del tiempo, ni siquiera había sido consciente de lo que estaba haciendo ni de las consecuencias a largo plazo. Se había convencido de que se ahorraría tiempo si se limitaba a aceptar y pasaba a otra cosa. Sólo dos semanas antes había aceptado proporcionar gratis una actualización de sistema a un importante bufete de Cleveland. Ahora comprendía que la empresa informaría de este «plato de leche» a sus amigos de otras firmas que también utilizaban los servicios de XL, y sería más difícil cobrar por parecidas actualizaciones en el futuro. ¡Fue otra revelación para Jay!

El juego de suma cero

A continuación, el doctor Pat dirigió la atención del grupo hacia arriba, a la mitad superior de la parrilla de cuatro cuadrantes y a sus dos estrategias proactivas. «Una señal de que controlas tu *negociafobia* es el cambio de enfoque desde la mitad inferior a la mitad superior de la matriz. Se debe a la capacidad general de las dos estrategias superiores para reducir con más frecuencia el estrés y generar resultados superiores.»

Señaló el cuadrante superior izquierdo y empezó a hablar de la *Competición*. Dijo que el color de esta casilla se debía asociar a una luz roja, donde debemos parar, pensar y seguir adelante sólo después de considerar cuidadosamente la situación presente.

Continuó: «La competición es una estrategia de pierde-gana impulsada por el conocimiento, la destreza y el temple. Cuando aplicas esta estrategia, has entrado en un juego de suma cero. Esto significa que la única manera de que consigas un dólar es quitándoselo a la otra parte y, a la inversa, esa parte está tratando de arrebatarte el mismo dinero. El tamaño del pastel es fijo, así que lo único que haces en realidad es pelear por el tamaño de tu ración».

Afirmó que cuando alguien utiliza una estrategia competitiva, en esencia está diciendo que no existe ninguna relación real. Utilizó de nuevo el ejemplo del conductor de la grúa en el desierto, que sabe que no ha visto antes al conductor atrapado allí en medio, y que lo más probable es que no lo vuelva a ver. «Por eso, en lo único que piensa es en sacar lo máximo que pueda de esta transacción gasolina-por-dinero —explicó el doctor Pat—. No le preocupa dañar la relación. No puedes dañar algo que no existe. Sería como si yo me preocupara por destrozar mi Austin Healey Roadster. Sencillamente no es posible. Podría querer ser dueño de uno, pero no es así. ¿Sabéis cuánto cuestan esos cabrones últimamente?» Eduardo conocía ahora otra razón de que a Bob Blankenship le cayera tan bien el doctor Pat. Aquel mismo coche era la preciada posesión del presidente de XL. No estaba dispuesto a creer que esta analogía fuera una coincidencia. Aquel gringo del oeste de Texas ciertamente se había informado bien.

Jugar a todos ganan

En la sala todos sabían ya adónde iba el doctor Pat: al cuadrante superior derecho, el que indicaba la proactividad combinada con un alto nivel de cooperación. Hizo hincapié en que esta última opción era la más avanzada de las cuatro estrategias. «Es así porque en esos casos, la negociación se basa en las auténticas *necesidades* de todas las partes, no simplemente en las posiciones declaradas. Es una estrategia de todos ganan, porque ahora nos concentramos en la posibilidad de aumentar el tamaño del pastel, no sólo de hacernos con un trozo más grande. La clave para poner sobre la mesa las necesidades y capacidades que harán que esto suceda es la creación de un ambiente de solución de problemas, donde todos se sientan cómodos y compartan abiertamente la información y, luego, elaboren conjuntamente soluciones con el potencial de satisfacer esas necesidades.»

El doctor Pat preguntó si alguno de los presentes aceptaría un 1 por ciento de un trato. De inmediato, la mayoría hizo un gesto negativo con la cabeza. A continuación, preguntó: «¿Y un 1 por ciento de un acuerdo de un billón de dólares? ¿Aceptaríais diez mil millones de dólares?» Ahora todos los participantes sonreían y asentían. Jay pensó que, incluso con una fracción mínima de ese total, podría pagar en efectivo una nueva casa que superaría incluso las expectativas de Laura.

El doctor Pat continuó hablando de las virtudes de la colaboración. «Solucionar los problemas a fin de crear una alternativa superior capaz de rendir un resultado excepcional es la expectativa que sustenta la colaboración. Si no existiera esa posibilidad, esta estrategia sencillamente no merecería la exposición ni la inversión de tiempo y esfuerzo.»

Señaló que, según su experiencia, la auténtica colaboración, aunque en general es deseable, también es bastante rara. «Basándome en las personas que he conocido y en los acuerdos en que he trabajado, sólo alrededor del 20 por ciento de los humanos es capaz de colaborar eficazmente. Aunque, en realidad, no es algo tan complicado, tampoco es una aptitud natural, sino una capacidad que debe aprenderse y cultivarse. Desde el tiempo de los hombres de las cavernas nos han preparado para cuidar de nosotros mismos, algo que no es, necesariamente, malo. Los negociadores más competentes han desarrollado una capacidad avanzada para maximizar el beneficio de todas las partes involucradas. Antes de mañana por la tarde, podréis ocupar un lugar en ese grupo formado por los negociadores más avanzados, si así lo deseáis.»

Tiempo de ejercicio

Con la matriz ya completada, el doctor Pat le dio al grupo un descanso de veinte minutos, que incluía un ejercicio esencial para entrar en el Paso 2 del tratamiento de la *negociafobia*. Eduardo y la mayoría de los participantes desaparecieron en un abrir y cerrar de ojos, pero Jay dedicó por lo menos cinco minutos a tomar notas adicionales sobre la naturaleza de las cuatro estrategias. Mientras se dirigía a la salida, le preguntó al doctor Pat por qué nos permitimos caer tan fácilmente en la evitación.

«Jay, los *negociafóbicos* parecen convencidos, simplemente, de la verdad del viejo dicho que afirma que el tiempo todo lo cura. Según mi experiencia, el tiempo no cura casi nada que afecte negativamente a una relación. Esos problemas, tanto personales como profesionales, son como los bultos que le salen a un buey. Tienes que dar un paso adelante, reconocer su existencia y sajar los condenados. No resulta nada agradable, pero todo va mucho mejor una vez que lo has hecho.»

Jay se marchó dándole vueltas a una persistente pregunta: «¿De dónde saca este hombre todo eso?» Se prometió aprender y utilizar el proceso fácil y no conformarse con una posición marginal en una relación de negocios con un alto potencial. Empezó a pensar en un cliente en particular, de Camden,

Ohio, que estaba en el puesto más alto de su lista de oportunidades de colaboración. No era un mal cliente, pero barruntaba que podría irles mucho mejor a las dos partes si aplicaran una estrategia de colaboración. Por otro lado, llamaría a su hermana en cuanto atracaran en Miami. No había más remedio que colaborar con ella para hacer frente a la creciente pérdida de memoria de su padre. Jay había salido de su actitud de negación basada en la evitación.

Ideas de un minuto del capítulo 4

1. El compromiso no es una estrategia de negociación legítima. Es una táctica de la que se usa y abusa con frecuencia y que es importante reconocer, comprender y utilizar de forma selectiva.

2. Las cuatro estrategias de negociación legítimas —evitación, acomodación, competición y colaboración— se pueden entender mejor cuando se consideran sus respectivos niveles de activación y cooperación.

3. La competición tiene que ver con pelear para hacerse con un trozo más grande del pastel, mientras que la colaboración se centra en aumentar el tamaño del pastel.

4. En la mayoría de encuentros para negociar, las dos estrategias proactivas de competición y colaboración tienden a generar resultados superiores si se comparan con cualquiera de las dos estrategias reactivas de evitación y acomodación.

5

Cómo evaluar tus tendencias

Una revelación perturbadora

Mientras iban regresando a sus asientos, muchos de los participantes de XL comentaban que, en realidad, nunca se les había ocurrido ver las negociaciones desde la perspectiva de las cuatro estrategias. También reconocían el peso que las negociaciones tenían en su vida personal o profesional. Hasta Eduardo tuvo que admitir que, pese a una carrera de ventas exitosa, había sido un *negociafóbico* practicante.

Antes de darles el descanso a los participantes, el doctor Pat les había pedido a todos que empezaran el Paso 2 del tratamiento de su *negociafobia* (evaluar) completando las veinte preguntas del cuestionario para hacer su autovaloración en la negociación. Esto iniciaría el viaje hacia un entendimiento más completo de sí mismos y de sus tendencias en lo que se refería a su forma de negociar. Para cuando volvieran, tenían que haber anotado su primera reacción (puntuando del uno al siete su nivel de acuerdo) ante cada una de las veinte afirmaciones.

Ejercicio de Un Minuto: Cada vez que entres en una situación de negociación, tómate un minuto para revisar los tres pasos.

Paso 3 — *Decidir la estrategia:* Escoge la estrategia adecuada para esta negociación en particular.

Paso 2 — *Evaluar:* Calibra tu tendencia a usar cada una de las estrategias de negociación, así como las tendencias de la otra parte (o de las otras partes).

Paso 1 — **Poner en marcha: Reconoce que estás en una negociación y revisa rápidamente las estrategias viables.**

Presentamos aquí el ejercicio de autovaloración que el doctor Pat le entregó a los participantes de XL, y los autores os recomiendan encarecidamente que lo completéis en este momento. Por favor, no evitéis esta actividad, porque entonces reduciríais vuestro proceso de aprendizaje. Si no queréis escribir en el libro, copiad la evaluación y responded en hojas aparte.

Escala para autoevaluar tu estrategia de negociación

Evalúa tus tendencias en la estrategia de negociación. Lee cada afirmación atentamente; luego señala con un círculo el grado en que esa afirmación describe tu enfoque cuando se trata de negociar con partes internas y externas clave.

Clave de respuestas

1. Absolutamente nada característica
2. No característica
3. Poco característica
4. Ni característica ni no característica
5. Algo característica
6. Característica
7. Absolutamente característica

Rodea con un círculo el número que, de entrada, te parece que mejor te describe en cada una de las siguientes afirmaciones:

1. Cuando negocio, mis intereses deben prevalecer.

   1   2   3   4   5   6   7

2. Con frecuencia, encuentro razones para dejar una reunión para un momento mejor, incluso cuando es posible que la discusión pudiera ayudar a resolver una disputa.

   1   2   3   4   5   6   7

3. Es inteligente dejar de lado los enfrentamientos desagradables y negociar utilizando un planteamiento amistoso.

| 1 | 2 | 3 | 4 | 5 | 6 | 7 |

4. El centro de interés de la negociación debería ser conseguir un «trozo del pastel» lo más grande posible.

| 1 | 2 | 3 | 4 | 5 | 6 | 7 |

5. Intento identificar principios compartidos para utilizarlos como base para solucionar disputas.

| 1 | 2 | 3 | 4 | 5 | 6 | 7 |

6. Con frecuencia, el mejor planteamiento es hacer todo lo que tienes que hacer y esperar que el otro lado no se dé cuenta.

| 1 | 2 | 3 | 4 | 5 | 6 | 7 |

7. Con frecuencia, cedo cosas a la otra parte en un esfuerzo por promover nuestra relación.

| 1 | 2 | 3 | 4 | 5 | 6 | 7 |

8. Con frecuencia, vivo con soluciones poco rentables para evitar tener que negociar un nuevo acuerdo con esta o con otra parte.

| 1 | 2 | 3 | 4 | 5 | 6 | 7 |

9. Mi planteamiento es tratar de hacerme con más de la mitad del dinero que hay en juego.

| 1 | 2 | 3 | 4 | 5 | 6 | 7 |

10. La mejor manera de comprar cosas hoy es conseguir un producto y un precio en Internet para no tener que negociar con una persona real.

1   2   3   4   5   6   7

11. Trato de cerrar un acuerdo buscando un medio de dar a la otra parte lo que pide.

1   2   3   4   5   6   7

12. «Llévate más de lo que das» es mi lema.

1   2   3   4   5   6   7

13. Con frecuencia, los negociadores eficaces buscan crear una auténtica asociación con las otras partes involucradas.

1   2   3   4   5   6   7

14. Con frecuencia, siento que no consigo lo que quiero de una negociación porque la otra parte «tiene la mayoría de cartas en la mano».

1   2   3   4   5   6   7

15. Hablando con franqueza para dejar atrás ciertas posturas y llegar a las auténticas necesidades, se pueden reducir o eliminar los conflictos improductivos que consumen mucho tiempo.

1   2   3   4   5   6   7

16. Debes hacérselo a los otros antes de que ellos te lo hagan a ti.

1   2   3   4   5   6   7

17. Cuando negocio, procuro eliminar nuestras diferencias y construir sobre un terreno común.

    1   2   3   4   5   6   7

18. Trato de crear una propuesta inicial tan atractiva que la otra parte simplemente la aceptará.

    1   2   3   4   5   6   7

19. Lo mejor de hacer negocios basados en unas relaciones personales de larga duración es que se reduce de forma significativa la necesidad de discutir de precios y condiciones.

    1   2   3   4   5   6   7

20. Consigues mejores resultados de una negociación cuando contienes las emociones y trabajas para desvelar las auténticas necesidades de todos.

    1   2   3   4   5   6   7

Cómo puntuar tus respuestas: Cuando hayas señalado con un círculo la cifra más apropiada en las veinte cuestiones, por favor anota tu puntuación en la única casilla en blanco que hay junto al número de la afirmación correspondiente. Una vez que lo hayas hecho, suma las cuatro columnas verticales y registra tu puntuación en el espacio en blanco previsto al final de la página.

Cuestión número	Evitación	Acomodación	Competición	Colaboración
1				
2				
3				
4				
5				
6				
7				
8				
9				
10				
11				
12				
13				
14				
15				
16				
17				
18				
19				
20				
TOTAL				

© 2010 U.S.Learning

Anota tu puntuación total para cada una:

Evitación: _____ Colaboración: _____

Acomodación: _____ Competición: _____

¿Y todo esto qué significa?

El doctor Pat reanudó el taller diciendo: «Ahora que hemos definido y considerado brevemente las cuatro estrategias legítimas de negociación, es probable que la mayoría os estéis haciendo una pregunta importante. Esa pregunta es: "¿Prefiero evitar, acomodarme, competir o colaborar?" La respuesta es... *sí*. Todos tenemos arraigada ciertas inclinaciones hacia las cuatro estrategias. Es simplemente una cuestión de grado, así que es fundamental que valoremos qué estrategia es probable que sea la dominante en cada uno de nosotros».

El doctor Pat insistió en que el hecho de que la herramienta utilizada fuera la *auto*evaluación tenía, naturalmente, cierto impacto en la validez de los resultados. Alentó a todos los participantes a compartir el cuestionario con las personas que mejor los conocieran: amigos, familia, compañeros de trabajo y clientes.

¿Yo? ¿Evitar? No quiero ni siquiera hablar de ello

El Negociador de un Minuto empezó la interpretación de los resultados con la primera columna: evitación.

«Que levanten la mano los que hayan tenido su máxima puntuación en la evitación.» Nadie levantó la mano. «Bien, el récord sigue intacto.» Dijo que, naturalmente, todos informan a la baja sobre el grado en que evitan los problemas; es parte de su resistencia a admitir este nivel de la enfermedad de la *negociafobia*. «Para empezar, los auténticos "evitadores" ni siquiera completaban el cuestionario. Yo uso un sistema de puntuación diferente para juzgar la tendencia de alguien a la evitación. Una cifra que esté entre 10 y 15 debería hacer que esa persona reconociera que, probablemente, usa en exceso esta estrategia.»

Jay consultó su total en evitación. Era 15, lo cual servía justo para reforzar su actual reconocimiento de que propendía a evitar, a soslayar los problemas; era un avestruz.

La escala «calificadora»

Para las tres columnas siguientes, el doctor Pat les dio a los participantes la siguiente escala como ayuda para interpretar los resultados de su autovaloración en la página del cuestionario. «Como fui profesor universitario en una vida anterior, no veo razón alguna para no seguir fieles al sistema de porcentajes, 90, 80, 70, 60, para evaluar estos resultados.»

32-35	Tendencia fortísima a usar esta estrategia.
28-31	Tendencia fuerte a usar esta estrategia.
25-27	Tendencia moderada a usar esta estrategia.
21-24	Tendencia baja a usar esta estrategia.
18-20	Tendencia bajísima a usar esta estrategia.
17 y menos	Tendencia fuerte a *no* usar esta estrategia (excepto en el caso de la evitación).

¿Es realmente mejor dar que recibir?

Pasando a la segunda columna, el doctor Pat preguntó cuántos de los presentes habían conseguido la máxima puntuación en acomodación. Alrededor del 15 por ciento levantó la mano, con un aire un tanto contrito.

«Es la proporción que normalmente veo para la acomodación; en este primer paso para comprender vuestra *negociafo-*

bia, permitidme que insista en que no hay nada malo en que vuestra tendencia más fuerte vaya asociada a esta estrategia. Como he dicho antes, muchas personas creen que la acomodación es el medio natural para forjar relaciones.» Señaló que, una vez que los participantes comprendieran el papel de las cuatro estrategias de negociación, se darían cuenta de que *no* era así. Retrocederían y determinarían el camino adecuado para generar los mejores resultados posibles en el mínimo de tiempo.

Jay se sentía contento de que su número para la acomodación fuera sólo de 25; una tendencia moderada, pero no la más alta de sus cuatro puntuaciones. El otro vecino de Jay, Andrew, era uno de los que había levantado la mano. «Este tío tiene más gatos reunidos en su puerta trasera que nadie en muchos kilómetros a la redonda», pensó Jay.

Los peleones, pocos y lejos

Pasando a la tercera columna desde la izquierda, el doctor Pat preguntó quiénes tenían su máxima valoración en competición. Dos personas levantaron la mano. Resultaba difícil no ver que eran dos de los participantes más jóvenes del grupo y que los dos eran hombres. Cuando el doctor Pat les preguntó por su historial, ambos dijeron que acababan de conseguir su MBA y que estaban al principio de su primer trabajo en el mundo empresarial. Uno dijo haber puntuado 29 en la escala competitiva, y el otro, 28. El doctor Pat comentó que estos dos participantes eran el prototipo de los que puntuaban más alto en la escala competitiva. Dijo que solían ser más jóvenes, muy probablemente hombres y, con frecuencia, recién salidos de una escuela de negocios, donde tiende a prevalecer la mentalidad de la «supervivencia del más fuerte».

Al mirar el 20 de su puntuación en competición, a Jay le

habría gustado que fuera por lo menos un punto más alto. Aquel único punto lo habría llevado a la categoría de tendencia baja. «No puedo ser tan blando», dijo para sus adentros. Andrew alardeó de que había vencido a Jay con un 22. De inmediato, Jay se movió para ocultar mejor sus puntuaciones. Se preguntó si quizá podría retroceder y cambiar una respuesta en un par de puntos.

Fue en ese momento cuando el doctor Pat advirtió al grupo: «Veo que muchos de vosotros miráis de nuevo las veinte afirmaciones y vuestro nivel de acuerdo con ellas. Es lógico querer reelaborar algunas de vuestras respuestas, pero no se trata de eso. Cada uno lleva a cabo su propia evaluación de una manera algo diferente. Lo más importante es que comparéis estos resultados con los que generéis cuando volváis a hacer vuestra autovaloración dentro de un par de meses».

Los aspirantes a ganadores

Ahora pasó a la última categoría. «Muchos de vosotros necesitáis algo de ejercicio, así que, llegado a este punto, que levanten la mano todos los que tengan su máxima puntuación en la colaboración.» Todos, menos los acomodaticios y los competidores, levantaron la mano. El doctor Pat explicó que este resultado es muy representativo de grupos anteriores por una serie de razones. Primero, las cuatro frases pertenecientes a la colaboración sonaban como comentarios con los que se *debería* estar de acuerdo. «Muchos participantes tienden a interpretar los aspectos colaboradores como "amo a mi mamá, me gusta la tarta de manzana y amo mi bandera". Es una autoevaluación, y es difícil no responder de la manera en que *desearíamos* pensar y actuar. Esta es la razón de que os anime a que pidáis a otros que os conozcan que hagan una valoración basada en cómo os ven.» Declaró que lo que realmente importa cuando negociamos es cómo nos ve la otra parte. Esa impresión tiene una influencia máxima sobre cómo negocian con nosotros. «Así pues, supongo que el segundo paso del tratamiento es, en realidad, "conocerte como los demás te conocen".»

El doctor Pat prosiguió diciendo que los mejores negociadores con los que había trabajado tienen su máxima puntuación en la colaboración, y lo mismo le sucede a él. Señaló que lo que más le preocupaba era que la cifra de cualquier estrategia fuera demasiado alta. Jay y, al parecer, la mayoría de participantes, pensaron que era un comentario desconcertante. Jay se dijo: «¿Cómo puede alguien ser demasiado colaborador?» Había sonreído ampliamente ante su puntuación de 32, pero ahora su expresión había cambiado. Carly, de Seattle, preguntó por qué una cifra muy alta en colaboración debía preocupar. «¿No has dicho que esta estrategia suele generar los mejores resultados posibles en una negociación?», preguntó.

El doctor Pat asintió y luego se explicó. «El auténtico problema con una tendencia extremadamente fuerte es que, si la cifra supera el 30, podéis desplegar esta estrategia sin importar la situación o la estrategia utilizada por la otra parte. Esta es la principal diferencia entre dos categorías de colaboradores que sé que ahora existen. El primer grupo son los que llamo sabios. A un sabio le cuesta un minuto reconocer cuándo conviene colaborar y cuándo ésta no es la mejor estrategia. El segundo grupo son los soñadores. Estos tratan de mostrarse colaboradores en cada encuentro de negociación, confiando en que la(s) otra(s) parte(s) corresponderán en la misma medida.» A continuación le preguntó a los presentes que si ellos se mostraban colaboradores pero el otro lado estaba por la competición, ¿qué estarían *realmente* haciendo?

Alguien sentado en el lado izquierdo de la sala dijo en voz muy alta:

—Acomodándonos. —Fue otra revelación para muchos.

—Exacto. ¿Y con qué no contáis a causa del uso no intencionado de esta estrategia?

Jay masculló entre dientes:

—Con un torniquete.

El doctor Pat aclaró que los aspectos de un entorno favorable a la solución de problemas que ambas partes ven como esenciales cuando colaboran, tales como hacer preguntas sobre las necesidades y demostrar flexibilidad y creatividad, serán vistos, en realidad, como debilidades que explotar por uno de los lados cuando compite con un colaborador. «Cuando la otra parte decida que utilizará una estrategia competitiva, a menos que podáis actuar para que cambien de opinión, ya no tenéis la opción de colaborar. Podéis evitarlos, acomodaros o competir con ellos y, quizá, probar de forma adecuada la táctica del compromiso al final del partido, pero sencillamente ya no podéis colaborar.» Todos se tomaron un minuto para anotar aquella advertencia. Era algo fundamental que no había que olvidar.

Jay ya no estaba seguro de si era un acomodaticio puro o simplemente un soñador. En este momento, no creía necesariamente que hubiera tanta diferencia entre los dos en cuanto a sus consecuencias negativas. Es muy posible que se hubiera mostrado demasiado acomodaticio con varios de sus clientes en los últimos años; sobre todo con uno llamado MGB Properties. Se recostó en la silla y fijó la mirada en el techo preguntándose cuánto dinero —suyo y de XL— se había dejado en la mesa.

La comparación más importante

Después de interpretar las puntuaciones de la evaluación de las cuatro estrategias de negociación de la matriz, el doctor

Pat pasó a lo que dijo que era la valoración más importante, para extraer alguna información útil de los datos.

«A mi modo de ver, la revelación más importante del Paso 2 que se deduce de los totales que habéis generado al completar vuestra autoevaluación es la relación entre las columnas 2 y 3. ¿Cuántos habéis tenido una puntuación más alta en competencia que en acomodación?» Casi una quinta parte de los presentes levantaron la mano; ni Jay ni Eduardo estaban entre ellos, pero Cathy y Bob sí.

El doctor Pat continuó su exposición con un tono de voz más serio para llevar la autoconsciencia de los participantes al siguiente nivel. «Se ha demostrado que este resultado es una característica importante de un negociador muy competente. Cuando la otra parte actúa de forma competitiva, y es más probable que tú también compitas en lugar de ceder, y la otra parte *reconoce* sin lugar a dudas esta tendencia, te ofrecerán más oportunidades de colaborar.» Afirmó que esto es así porque la mayor parte del tiempo, cuando la otra parte se pone competitiva, *no* espera enfrentarse, a su vez, a la competición. Si suponen o experimentan una competición recíproca, es posible que, de manera inteligente, adapten su estrategia y trabajen con la otra parte de un modo más colaborador.

El doctor Pat continuó: «Cuando mi socio en la empresa y yo empezamos a ayudar a otros a desarrollar sus aptitudes de negociación, ya hace más de una década, no incluimos las aptitudes y tácticas competitivas en nuestro currículum. Fue así porque los dos estábamos firmemente convencidos, y habíamos experimentado, que un planteamiento colaborador genera resultados globales más favorables que un enfoque competitivo de pierde-gana y un tamaño fijo del pastel. Luego empezamos a darnos cuenta de que sin la presencia de una base sólida de aptitudes competitivas, la otra parte te verá como "un fruto muy fácil de alcanzar" y actuará de forma competitiva contra ti casi siempre». Jay sentía que su cliente de MGB Properties lo veía como una presa fácil para sus prácticas de compra agresivas y muy competitivas.

A continuación, el doctor Pat les dio a los presentes lo que creía que sería la mejor noticia que recibirían en todo el día. «Recordad que no es necesario que completéis esta evaluación de 20 entradas del Paso 2 cada vez que paséis por el tratamiento EASY. Lo que sí os recomiendo es que por lo menos una vez al trimestre durante el próximo año, más o menos, la retoméis. Al principio del tratamiento, algunas cifras de la valoración tienden a cambiar con el transcurso del tiempo.

»Independientemente de cómo sea vuestra puntuación actual en las estrategias de acomodación y competición, la experiencia con miles de participantes parecidos a vosotros ha demostrado que, conforme alguien usa el sistema de tres pasos para tratar su *negociafobia*, emergen con bastante rapidez dos resultados muy positivos.»

La primera consecuencia favorable que el doctor Pat identificó era que la tendencia a la acomodación suele bajar de forma espectacular después de reconocer que, al dar a la otra parte lo que pide, no están forjando una auténtica relación. Por el contrario, comprenden que muestran debilidad ante alguien centrado en aprovecharse de sus oponentes débiles.

«Una segunda cosa positiva es que, conforme los participantes comprenden qué es la competición y se sienten más cómodos con ella, su tendencia a utilizar un enfoque de gana-pierde aumenta. Reconocen la oportunidad de alcanzar una victoria rápida que les brinda esta estrategia.» El doctor Pat nos puso en guardia respecto a que el mayor problema al que se había enfrentado después de que algunos participantes completaran el taller era que el péndulo oscilaba tanto hacia la parte superior izquierda de la matriz que algunas personas se volvían *demasiado* competitivas.

Avanzar adaptándose

El Negociador de Un Minuto continuó su explicación del Paso 2 del tratamiento de la *negociafobia*. «En esta sesión hemos dedicado mucho tiempo para ayudaros a que os evaluéis y evaluéis vuestras tendencias en las estrategias de negociación. Ahora que habéis invertido ese tiempo en comprender vuestras tendencias, sólo nos llevará un momento pensar en qué ambiente os sentís más cómodos y verlo como un punto positivo o negativo para la negociación en curso. Los *negociafóbicos* no sólo evitan las negociaciones; también muestran síntomas de la enfermedad por su resistencia a moverse fuera de las actitudes en que están cómodos en su forma de negociar. Si queréis incrementar vuestro índice de éxitos, debéis aumentar vuestra adaptabilidad.»

Como preparación para el siguiente segmento, afirmó: «Un aspecto que hará que os adaptéis es que os anticipéis y respondáis a la estrategia utilizada por la otra parte. Es un factor principal al seleccionar cuál de las cuatro estrategias aplicar. Entraremos en esto al continuar con el segundo paso de vuestro tratamiento contra la *negociafobia*».

Mientras se levantaban para salir de la sala, Jay y Eduardo se miraron y dijeron simplemente: «Uf». Les resultaba difícil creer lo mucho que la autoevaluación les había enseñado sobre ellos mismos y sobre cómo habían, natural y frecuentemente, negociado de manera inadecuada. No os equivoquéis: tumbarse hoy día en la playa habría sido más agradable. No obstante, con lo que estaban aprendiendo, quizá pudieran ir juntos y comprarse aquella casa en la playa que habían alquilado la primavera pasada en Cayo Largo.

Ideas de un minuto del capítulo 5

1. En la negociación, la mayoría de *negociafóbicos* usan la estrategia de evitación con mucha más frecuencia de lo que se dan cuenta o quieren admitir.

2. En general, los negociadores de más éxito tienen una fuerte tendencia colaboradora, pero no tan fuerte que desplieguen esta estrategia siempre y ciegamente, como si fuera una panacea.

3. Cuanto más cómodos nos sintamos y mejor sea nuestra habilidad al utilizar un enfoque competitivo, más oportunidades de colaboración se abrirán ante nosotros.

4. Conforme tratemos nuestra *negociafobia*, nuestra tendencia a la acomodación suele disminuir y nuestra propensión a competir aumenta.

6

Cómo evaluar las tendencias de los demás

Cómo tratar con la otra parte

En su tratamiento de la *negociafobia,* el doctor Pat ya estaba listo para la fase de llevar a los participantes de XL a la parte del Paso 2 enfocada al exterior: evaluar las tendencias estratégicas de la otra parte. Tanto a Jay como a Eduardo les extrañó que su líder empezara la sesión de la tarde con una baraja de cartas en la mano. En broma, Eduardo preguntó: «¡Eh, Doc, ¿vamos a jugar al póquer o qué?» El doctor Pat se limitó a barajar, sonriendo.

Ejercicio de Un Minuto: Cada vez que entres en una situación de negociación, tómate un minuto para revisar los tres pasos.

Paso 3

Decidir la estrategia: Escoge la estrategia adecuada para esta negociación en particular.

Paso 2

Evaluar: **Calibra tu tendencia a usar cada una de las estrategias de negociación, así como las tendencias de la otra parte (o de las otras partes).**

Paso 1

Poner en marcha: Reconoce que estás en una negociación y revisa rápidamente las estrategias viables.

No estás haciendo un solitario

«Veamos, ahora que estáis versados en las cuatro estrategias y en cuáles es más probable que *vosotros* uséis, tenéis una idea bastante buena de cómo os gusta jugar vuestras cartas en la negociación. Como acaba de decir Eduardo, mucha gente piensa acertadamente que las negociaciones son como una partida de cartas, con unas apuestas altas. Pero, como todos sabemos, a menos que estemos haciendo un solitario, hay otras personas en la mesa de cartas, y no se limitan a ocupar un asiento para verte ganar. Quieren que la partida también resulte bien para ellos y tienen sus propias tendencias estratégicas de negociación. Vuestra capacidad para evaluarlas eficazmente y prever cómo les gusta jugar, cuando va emparejada con saber cómo os gusta jugar a vosotros, os ayudará mucho a generar unos resultados exitosos en la negociación.»

A Jay, la necesidad de saber cómo le gusta jugar sus cartas a los que están en la mesa de juego le parecía una tarea de proporciones desmesuradas. Ya le preocupaba llegar a ser más duro y menos acomodaticio, ¿y ahora tenía que meterse dentro de la cabeza de los demás involucrados?

Fue entonces cuando el doctor Pat intervino para hacer frente a los temores, cada vez mayores, de Jay. «Veo ceños fruncidos en algunas caras. Parece difícil, ¿verdad? Ya os he dicho que iba a hacerlo fácil para vosotros. Permitidme que os confíe un pequeño secreto. La mayoría somos muy previsibles cuando se trata de la manera de negociar; incluso los que no lo son, raramente tienen una cara de póquer lo bastante buena como para ocultar, de forma eficaz y durante mucho tiempo, la estrategia que están usando. Cuando este seminario en el mar toque a su fin y ganéis algo de experiencia con los pasos, la curva de aprendizaje mejorará y encontraréis que es bastante sencillo saber cómo está actuando la otra parte.»

La historia se repite

El grupo estaba a punto de aprender que el primer indicador de cómo alguien va a negociar contigo en el futuro es la manera como ha negociado contigo en el pasado.

«Muchas personas no están cómodas ni tienen la habilidad necesaria para usar más de una de las cuatro estrategias de negociación —afirmó el doctor Pat—. Al igual que vosotros, sufren de una *negociafobia* que los atrapa en el ámbito en que están cómodos, y, además, más del 99 por ciento no han tenido esta formación. Si fueron competitivos con vosotros en la última negociación, es muy probable que jueguen a gana-pierde con vosotros también en esta ocasión. Lo hacen aunque no les diera un resultado muy bueno la vez anterior. Lo que mejor predice una conducta futura es la conducta pasada. En las cartas, los que se echan faroles tienden a echárselos frecuentemente, y los que no van tienden a no ir. Así es como les gusta jugar, incluso sin pensarlo. Lo único que tienes que hacer en esta evaluación de la otra parte es prestar atención para reconocer cada actitud.»

A continuación, el doctor Pat contó una historia que reforzaba lo de que la historia se repite. «Tengo un cliente, que a su vez tiene un cliente al que yo llamo el señor 10 por ciento. Cada año, cuando negocian un nuevo contrato anual, adopta una postura muy competitiva exigiendo, de entrada, una reducción de precios del 10 por ciento, añadida a unas crecientes exigencias empresariales y de servicios. Algunos de mis clientes creen que tengo una bola de cristal que me ayuda a ver el futuro porque casi siempre acierto en mis predicciones de lo que otros van a decir y hacer en la mesa. Esta habilidad no se basa en que pueda echar una mirada al futuro. Por el contrario, se debe a mi cuidadosa observación y evaluación de lo que ha sucedido en el pasado.»

Jay estuvo de acuerdo, pensativo, en que la mayoría de veces en que se vio sorprendido por algo que sus clientes decían, hacían o no hacían, no deberían haberlo pillado desprevenido. Con frecuencia, había ido a reuniones esperando contra toda esperanza que, esta vez, sería diferente, porque seguía sin tener los medios de contestar a los compradores que proclamaban una falta de diferenciación o el dudoso valor de las ofertas de XL. Era como revivir la misma pesadilla una y otra vez.

Tomarse las cosas como algo personal

El doctor Pat pasó ahora al tema de los estilos conductuales para prever cómo alguien negociaría contigo. «Incluso si nunca habéis negociado oficialmente con alguien y, por ello, no tenéis antecedentes en los que basaros, igualmente podéis evaluarlo. Si observáis la tendencia de su estilo de conducta, dispondréis de una fuente sólida de información en cuanto a la estrategia que es más probable que desplieguen.» A continuación describió los cuatro estilos básicos de interacción en cuanto al ritmo en el intercambio de información y en cuanto a centrarse en tareas o en relaciones.

Analíticos (Ritmo lento/Centralizados en la tarea)

El doctor Pat explicó que las personas analíticas son las menos emocionales cuando se trata de reuniones de negociación. «Cuando trates con alguien de números, reconoce que lo que en verdad quiere es no tener sorpresas —dijo—. Todo tiene que ver con una evaluación racional de los números. No pongas el acento en opiniones y sentimientos. Quieren los datos concretos, presentados con precisión, y el tiempo para estudiarlos. Las personas analíticas son como un perro que coge un hueso y corre a meterse debajo de un porche para roerlo.» El doctor Pat explicó que, por esta razón, se puede predecir que los analíticos utilizarán mucho la estrategia de evitación. «Evitan tomar una decisión si no cuentan con los datos pertinentes y el tiempo suficiente para examinarlos. Con frecuencia, también se resisten a tomar decisiones y expresar opiniones en foros públicos.»

El doctor Pat acabó su explicación de cómo negocian los analíticos insistiendo: «Será mejor que os aseguréis de que disponen de todos los datos que queráis que consideren antes de que se metan debajo del porche, porque cuando salgan ya habrán tomado una decisión. Cambiar de opinión después de ese momento sería la señal de lo que más temen esas personas en cualquier negociación: equivocarse».

Conductores (Ritmo rápido/Centralizados en la tarea)

«Muchas personas se sienten intimidadas al negociar con los conductores, pero a mí, personalmente, es el estilo de interacción que más me gusta —continuó el doctor Pat—. La belleza de negociar con personas conductoras es que, dada su limitada capacidad de concentración, su orientación nada emocional a la tarea y su naturaleza directa, por lo general sabes exactamente dónde estás con ellos. Con frecuencia, te atacan con una estrategia abiertamente competitiva, pero es sólo una prueba. Quieren ver de qué estás hecho y lo preparado y seguro de ti mismo que estás en relación con los asuntos que se negocian.» A continuación dijo que si apruebas la prueba inicial, hay muchas probabilidades de que paséis a una reunión colaboradora. Eduardo siempre encontraba esos ataques iniciales dolorosos y desorientadores. Ahora tenía una idea mucho mejor de lo que estaba pasando realmente.

El doctor Pat prosiguió: «Una vez que saben que vas en

serio, y sólo entonces, deciden si mereces el esfuerzo y la franqueza necesarios para colaborar contigo. No juegan una partida de "todos ganan" con mucha gente, pero si consideran que alguien es digno de esta estrategia, es frecuente que acabe con muchas fichas premiadas. En cualquier negociación tienen un único aspecto importante, y si puedes abordar ese punto con seguridad, tienen un interés muy limitado en los otros aspectos "menores" del trato. Este asunto importante es la espina que tienen clavada en la pata, y si tú la encuentras y se la arrancas, el camino al éxito tiene muy pocos obstáculos más. Cuando los encuentras en un momento en que tienen prisa por completar algo que quieren hacer, con frecuencia no estarán muy predispuestos a machacarte mucho con el precio.» Explicó que suelen atacar el precio agresivamente para comprobar cuánto confías en el valor de tu propuesta.

«Con un conductor necesitarás forjar credibilidad, porque lo que más temen de cualquier negociación es el fracaso. A diferencia de los analíticos, no les importa cometer algunos errores en el camino, pero debes ser consciente de que el fracaso, sencillamente, no es una opción para ellos. Su propia imagen no concuerda en absoluto con un resultado así.»

El doctor Pat señaló que cuando se trata de discutir los detalles de un trato, los conductores tienen muy poca paciencia. «Cuando tienen éxito, los conductores cuentan con un valioso analítico en su equipo. Trabajad con este miembro del equipo para poner los puntos sobre las íes, pero si es principalmente el conductor quien toma las decisiones, no olvidéis hacer que vuelva a estar presente en la sala para bendecir el acuerdo final.»

En este momento, Jay recordó una negociación reciente en la que trató de decidir los detalles con la propia conductora. Ella acabó perdiendo por completo el interés por hacer negocios con XL, afirmando: «Mira, es que es demasiado complicado trabajar con vosotros». Jay se decía que ojalá hubiera conocido al Negociador de un Minuto años atrás. Sus consejos habrían salvado varios acuerdos importantes que se le habían escapado. Una conversación con Eduardo durante el siguiente descanso mostró que su amigo se había dado cuenta de lo mismo.

Expresivos (Ritmo rápido/Centralizados en las relaciones)

El doctor Pat describió a los expresivos como lo máximo en cuanto a «aspirantes» a colaboradores. «A estas personas les encanta la idea de la colaboración. El único problema con ellos es que raramente tienen la capacidad de concentración y la disciplina necesarias para llevar esta estrategia hasta el final. En esencia, son los soñadores que hemos descrito antes, ya que no se centran lo suficiente como para ser sabios. Cuando captas la atención de un expresivo en una negociación, es mejor que actúes rápidamente y con entusiasmo para cerrar el trato. Hoy pueden quererte mucho, pero es frecuente que mañana ni se acuerden de tu nombre. Han pasado a otra cosa y ahora trabajan en alguna que otra negociación, más apasionante.»

Explicó que en sus trabajos como *coach*, había visto que los negociadores novatos suelen ofenderse cuando los expresivos pierden interés y pasan a la evitación. «Son personas impulsivas y, a veces, inconstantes. Por lo general, tienen tantas cosas en marcha que sólo pueden obligarse a considerar su negociación contigo durante un breve momento de tiempo. Tu mejor apuesta es comprender sus objetivos y visiones y responder a ellos de una manera estimulante, intentando asegurarte su compromiso.»

El doctor Pat destacó la necesidad de encontrar, en la organización del expresivo, alguien con quien trabajar para recabar la información necesaria que lleve a comprender las necesidades, elaborar alternativas, crear un plan de acción, y luego volver a reunirse con el expresivo para la toma de decisión. «De verdad necesitáis que designen a una persona de contacto en su campo para trabajar con ella. Tenéis que conseguir que se comprometa a volver a la negociación en el momento de tomar la decisión y mejor que ese momento sea pronto. En este sentido, son parecidos a los conductores. No temas empujar diligentemente a un expresivo para que se ciña al proceso. Necesitan este acicate y, al final, lo respetarán.

»Lo que más les desagrada en las negociaciones es el aburrimiento. A un expresivo, ofrécele soluciones que respeten sus objetivos, preséntaselas de una manera breve y vigorosa, y es posible que te sorprendas cuando las acepten en un milisegundo.»

Mientras todos tomaban notas, Eduardo pensó en un tiempo en que había actuado demasiado lentamente y había visto cómo un posible cliente expresivo, potencialmente muy colaborador, desaparecía, como si hubiera entrado en un programa de protección de testigos, para no ser visto nunca más.

Amables (Ritmo lento/Centralizados en la relación)

El doctor Pat inició el análisis del último estilo con una pregunta. «Al venir a este taller, ¿cuántos creíais que los interlocutores amables, alegres, cordiales y considerados, entre todos los estilos de negociación, eran los mejores para negociar?» Se levantaron bastante más de la mitad de manos. «Amigos míos, lamento deciros esto, pero estabais muy equivocados. El problema de negociar con personas amables es que piensas que te quieren, ¡pero has de saber que también quieren a tu competidor! Su orientación a las relaciones y su tendencia a resistirse a los conflictos a toda costa los mantiene dentro de un talante amistoso. No tienen prisa en tomar una decisión, porque les lleva mucho tiempo averiguar qué opinan todos los miembros de su equipo respecto a cualquier cambio. Esto hace que las personas expresivas y las conductoras se suban por las paredes. Me gusta oír la palabra "sí" y, como ya soy un chico mayor, puedo vivir con un "no" y trabajar para ver si lo puedo cambiar, pero un "quizás" en las negociaciones es algo que te come vivo.»

Por esta razón, caracterizaba a los negociadores amables como los peores "evitadores". «A diferencia de los analíticos, que evitan tomar una decisión si no disponen de todos los datos pertinentes o hacerlo frente a un grupo, los amables la pospondrán hasta que estén seguros de contar con un resultado que no ofenda a nadie de su equipo, ni de los otros equipos que compiten por su atención. En su cabeza confían en que, si esperan lo suficiente, el problema en cuestión se solucionará solo o desaparecerá por completo.»

El doctor Pat señaló que los negociadores amables son también los que más probablemente se acomoden. «Para mantenerse lejos de cualquier conflicto, con frecuencia se acomodarán, más allá incluso de lo necesario. Puede sonar bien eso de que un interlocutor amable actúe así en una negociación, pero recurren mucho a las quejas, y a veces a la culpa, para tratar de compensar estas acomodaciones en gran cantidad cuando la partida esté más avanzada.»

Cómo averiguar de qué van los primerizos

Fue en este momento cuando Monte Beal levantó la mano. El doctor Pat lo animó a decir lo que fuera con un gesto.

—Todo esto está muy bien con la gente con la que ya tenemos un historial —dijo Monte—, pero ¿qué pasa cuando se trata de una negociación por primera vez, donde no podemos recurrir a ninguna experiencia previa?

El doctor Pat respondió:

—Monte, te debo cinco dólares, porque lo que dices me va muy bien para pasar a lo que viene a continuación. Tenemos dos fuentes de información cuando no hemos negociado con alguien en el pasado o no sabemos nada de su manera de actuar. El primer punto identificado es la empresa con la que estamos negociando, si es un encuentro de empresa a empresa. Lo primero que quiero saber cuando no he negociado antes con alguien de una compañía es: «¿Cómo negocia esa organización con sus clientes?» Si tienen fama de trabajar de forma colaboradora con ellos, doy por sentado que harán lo mismo con sus abastecedores o proveedores. Por otro lado, cuando se abordan sus encuentros con sus clientes de forma muy competitiva, estoy seguro de que, cuando yo les venda algo, serán competitivos en su trato conmigo. Son aspectos de una forma de actuar que nos pueden proporcionar una valiosa información sobre lo que podemos esperar.

El doctor Pat recomendó también que buscáramos información pública sobre la organización, por ejemplo en páginas web y en artículos publicados. «Si comparten abiertamente información útil, esto es coherente con una actitud de colaboración. También podéis buscar palabras como *cooperación, valor, relaciones*, incluso *colaboración* en sus declaraciones de misión y visión. Y a la inversa, si se muestran reservados y no van más allá de dar su dirección y número de teléfono, esa actitud señala que eligen una estrategia competitiva.

»Ciertamente, debéis ser conscientes de las diferencias específicas que hay entre organizaciones públicas y privadas respecto a la cantidad de información que revelan, pero creo que, con un pequeño esfuerzo, podéis empezar a calibrar en qué dirección se inclinan las normas y sistemas de trabajo de la organización. También podéis hablar con personas de otras organizaciones no competidoras que hayan negociado con esta compañía en el pasado, para tener una versión de en qué casilla de la matriz estratégica de negociación tienden a caer. Todos estos datos exigen un cierto esfuerzo, pero la información recogida suele ser valiosísima.»

Una advertencia como despedida

«Antes de dejar este asunto y tomarnos un descanso —le dijo el doctor Pat al grupo—, quiero dedicar un minuto a plantar una última idea en vuestra mente.

»Cuando mi evaluación de la otra parte me deja con dudas, siempre me inclino a prever un encuentro colaborador. Como veréis, negociar de esta manera exige un poco más de planificación, pero suele resultarme fácil pasar rápidamente a una estrategia competitiva si empiezo utilizando, con prudencia, la colaboración. Es mucho más difícil, y con frecuencia imposible, hacer el cambio contrario, debido a los muros levantados cuando selecciono una estrategia que me lleva a empezar de forma competitiva. Si alguien va a ser responsable de perderse lo que era una oportunidad de colaborar para generar unos resultados superiores, quiero que sean ellos y no yo. No quiero tener que mirarme en el espejo y admitir que, debido a mi propia falta de preparación para compartir información, por adoptar demasiado rápido una postura o por falta de flexibilidad, llevé esta negociación por el camino, más limitado, de la competición. No quiero enseñar todas mis cartas al principio de la conversación, pero sí exponer una perspectiva general de dónde estoy y ver qué recibo de ellos a cambio.

»Ahora que hemos puesto este tema en juego, en la próxima sesión entraremos más de lleno en el tercer paso del tratamiento EASY para decidir nuestra estrategia.»

Jay vio que este planteamiento era bien recibido por sus colegas presentes en la sala, mientras tomaban sus últimas notas y se dirigían a buscar un refresco y algo de comer.

Ideas de un minuto del capítulo 6

1. Nuestro éxito al negociar depende de nuestra capacidad para evaluar correctamente las estrategias que usará el otro.

2. Muchos negociadores son muy previsibles porque su *negociafobia* hace que se sientan cómodos repitiendo la misma estrategia una y otra vez.

3. Conocer el estilo de conducta de los participantes, así como la cultura de su empresa [sus valores y sistema de trabajo], puede ayudarnos a predecir la estrategia de negociación que usarán con nosotros.

4. Cuando la evaluación de la otra parte deja dudas, deberíamos decidir empezar con una cauta estrategia de colaboración, ya que es más fácil pasar de la colaboración a la competición que viceversa.

7

Estrategia: La misma talla *no* le va bien a todo el mundo

Cómo tomar medidas

En el siguiente segmento del taller, el doctor Patrick Perkins pasó al Paso 3 del tratamiento que estaba prescribiendo contra la *negociafobia*: cuando elijáis la estrategia adecuada para esta negociación en particular, actuad de forma estratégica.

«Recordaréis que uno de los síntomas de la *negociafobia* es utilizar la misma estrategia sin tener en cuenta la situación en la que os encontráis. La experiencia me ha enseñado que ninguna de las cuatro estrategias que deberían pasaros por la cabeza cuando reviséis el Paso 1 del tratamiento son adecuadas o inadecuadas de forma *universal*. Como decíamos en la última sesión, es posible que tengáis que lidiar con un conductor muy competitivo, y si tratáis de usar la colaboración, sin querer estáis haciendo, ¿haciendo qué, Jay?»

Un poco sorprendido, Jay respondió: «Acomodándonos sin un torniquete». El doctor Pat sonrió y asintió. Jay se alegraba de caerle bien al doctor Pat. No podía ni imaginar cómo sería caerle antipático a aquel hombre.

El doctor Pat continuó: «Veamos ahora qué factores deberíamos considerar cuando estudiemos rápidamente la situación y decidamos qué estrategia aplicar para encontrar el encaje óptimo para un conjunto dado de circunstancias. Para esto, recordad que el Paso 3 se apoya en el Paso 2, así que será preciso que consideréis tanto vuestras tendencias personales como lo que acabáis de averiguar sobre qué estrategia es más probable que despliegue la otra parte.

Ejercicio de Un Minuto: Cada vez que entres en una situación de negociación, tómate un minuto para revisar los tres pasos.

Paso 3 **Decidir la estrategia: Escoge la estrategia adecuada para esta negociación en particular.**

Paso 2 *Evaluar:* Calibra tu tendencia a usar cada una de las estrategias de negociación, así como las tendencias de la otra parte (o de las otras partes).

Paso 1 *Poner en marcha:* Reconoce que estás en una negociación y revisa rápidamente las estrategias viables.

Tanto Eduardo como Jay sentían mucha curiosidad por saber si las decisiones preliminares que habían tomado respecto a varios de sus clientes y posibles clientes encajarían en las orientaciones del análisis de estrategia del doctor Pat.

¿Cuándo vuela un avestruz?

El doctor Pat inició el análisis de la selección de estrategia en la parte inferior izquierda de la matriz presentada en el Paso 1. Señaló que hay algunas situaciones en las que no entrar (evitación) es la mejor estrategia de negociación. «La evitación tiene el potencial para ser la mejor estrategia para ti o para otros cuando se trata de una cuestión mínima, o cuando se puede disponer fácilmente de una alternativa superior.» Enseguida puso una salvedad a esta directriz. «El problema con evitar lo que, en un momento dado, puede parecer una cuestión mínima es que, con el tiempo, ese aspecto insignificante puede crecer exponencialmente en importancia. Así que, donde la evitación puede parecer una buena estrategia hoy, quizás acabe siendo inadecuada para las negociaciones con la misma parte dentro de seis meses.»

Demostrando que se había informado bien sobre los problemas de negociación a que se enfrentaban los miembros del equipo de XL, el doctor Pat utilizó el ejemplo de un buen cliente que quería una hora de ayuda técnica sin cargo. «A una tarifa de 200 dólares la hora, no es una cantidad tan grande para un cliente que aporta unos ingresos de sus buenas cinco cifras. Podría ser tentador usar una estrategia de evitación y complacerlo. No obstante, multiplicado por diez, ese número se convierte en algo significativo, con 2.000 dólares en juego. Recomiendo que, al enfrentarnos a una petición como ésta, uséis lo que yo llamo una "factura sin cargo" para clientes muy buenos. Esto es muy superior a evitar discutir la inversión adicional, lo cual sería, en este caso, una acomodación de facto. Ese planteamiento es actuar, sin ninguna necesidad, en la mitad inferior de la matriz estratégica.»

La primera hora se facturaría a 200 dólares, con la mención «"sin cargo" anotada en la casilla de "cantidad debida" en la parte inferior derecha. Enviadles este documento único por *e-mail*, pero *no* lo presentéis al departamento de cuentas pendientes de XL. Si al cliente le gusta el resultado del servicio y luego quiere diez horas más, ya sabe cuánto valen, y deberíais informarle de que ahora se les facturará el total que corresponda. Si evitamos la situación y nos limitamos a regalarle nuestros servicios, no valdrán ni cinco centavos falsos».

El doctor Pat dijo que, además, una factura sin cargo muestra lo que hemos invertido en la relación a lo largo del tiempo, mucho mejor que la tradicional actitud de evitación o acomodación. Esta técnica ayuda a conseguir que las futuras negociaciones tengan un cariz mucho más colaborador.

La segunda posibilidad donde la evitación es una estrategia adecuada es cuando nosotros o la otra parte reconocemos la importancia de la cuestión, pero nos sentimos mejor servidos continuando las negociaciones con otras partes. «Cuando tienes un pájaro en la mano y ese pájaro te gusta de verdad, ¿para qué querrías meterte en otro arbusto espinoso a la busca de otro diferente?» El doctor Pat expuso su razonamiento con su lento acento texano. Siguió diciendo que si una organización de ventas era una de las varias firmas que presentaban soluciones a un posible cliente, y los negociadores de ese posible cliente no preguntaban nada ni devolvían las llamadas, entonces su evitación indica que esta estrategia ya no tiene posibilidades.

«Por lo general, los vendedores desdeñan las objeciones al negociar, pero en realidad, esas objeciones son, casi siempre, una muestra de interés. Nadie pone objeciones al tiempo que se necesitará para pasar a un nuevo sistema informático si no tiene absolutamente ningún interés en el cambio. De igual manera, tampoco te presionarán sobre el precio si ya tienen otra alternativa favorable que es significativamente más económica. Se limitarán a decir: "Gracias, ya les llamaremos".

Luego os enviarán un *e-mail* diciendo "Fueron muy amables, pero han perdido". Dado que las negociaciones consumen unos recursos valiosos, ¿por qué querría nadie seguir negociando con alguien al que ven como materialmente inferior a las mejores alternativas con que cuentan para la situación a la que se enfrentan?»

Jay no pudo menos que estar de acuerdo con el doctor Pat sobre que la evitación aplicada por la otra parte era la estrategia más dolorosa y frustrante que había vivido en su carrera. También pensó en las muchas veces que él había usado esta misma estrategia con sus colegas, como señal de falta de interés; incluso tuvo que admitir que utilizaba la evitación con Laura respecto a la casa y a otros asuntos. Aquel mismo mes, ella le había enviado un mensaje de texto para ver en qué fechas estaría libre para reunirse con un agente inmobiliario que conocía y le gustaba. No había contestado, confiando en poder acogerse a la excusa de «perdido en el ciberespacio» si ella lo sacaba a colación.

Cuándo sangrar

A continuación el doctor Pat situó la acomodación como estrategia adecuada cuando estamos en una situación de poder notablemente inferior, que es evidente para todas las partes, y no tenemos otras opciones con las que negociar. Señaló que es indispensable comprender ese poder cuando se elabora una estrategia sobre la necesidad de acomodarse. Aclaró este término clave de negociación afirmando: «Esa fuerza es la capacidad de una de las partes para influir en lo que otra parte piensa, dice o hace. Se puede generar por la habilidad de una parte para recompensarnos o castigarnos. Estamos en una posición mucho más débil en comparación con el conductor de la grúa que puede castigarnos con dureza sencillamente subiéndose al camión y marchándose, si intentamos negociar el precio por litro para poner combustible en nuestro depósito vacío en mitad del desierto. Un análisis erróneo de la situación de poder cuando establecemos nuestra estrategia hará que nos quedemos allí, escudriñando el cielo para ver cuándo aparecen los buitres».

Según el doctor Pat, hoy otra fuente importante de poder es el saber; un saber derivado del análisis y preparación de la información para comprender la situación, y del desarrollo de ideas para hacer que todas las partes tengan más éxito. La parte menos preparada o informada de la mesa de negociaciones es, con frecuencia, la que siente la necesidad de acomodarse o se ve empujada a hacerlo. Jay tomó mentalmente nota de que conseguir influencia a través del conocimiento sería crucial para abandonar lo que había sido una estrategia de acomodación con MGB Properties, y quizá con otros.

El doctor Pat insistió en que *cómo* nos acomodamos cuando nuestra estrategia nos lleva en esta dirección es tan importante como saber *cuándo* hacerlo. Aclaró que deberíamos formular y ensayar cuidadosamente la manera de expresar nuestra subordinación. Recomendó que fuera algo como: «En esta ocasión, debido a la situación única en que nos encontramos, estaríamos dispuestos a considerar lo que nos propone para hacer frente a lo que le preocupa y llegar a un acuerdo». El doctor Pat hizo hincapié en la frase «en esta ocasión» como parte esencial de la declaración, porque un negociador competente no quiere sentar un precedente negativo para una acomodación continuada.

«Permitidme que insista igualmente en que deberíais indicar que sólo estáis dispuestos a *considerar* la propuesta de la otra parte, pero que no la aceptáis automáticamente. Elaborar cuidadosamente esta declaración sólo cuesta un pequeño esfuerzo, y serían necesarios días, semanas, incluso años, para enfrentarse a las consecuencias cuando nos hemos expresado mal o no hemos dicho nada.»

Según el doctor Pat, «un aspecto interesante de la acomodación a otras partes es que, cuando se hace como es debido, es frecuente que la otra parte pida menos de lo que estábamos dispuestos a ceder para rectificar los errores cometidos. Es posible que estemos dispuestos a darle la vaca entera, cuando ellos sólo quieran un par de chuletones». Explicó que trabajó con un grupo que había recibido 75.000 dólares para realizar un proyecto que, por una serie de razones, entre ellas la marcha de miembros del equipo, ni siquiera se había empezado varios meses después de que se firmara el contrato y se depositara el cheque. «Después de dedicar un minuto, conmigo, a decidir su estrategia, fueron a la reunión, acertadamente, con una actitud mental de acomodación, dispuestos a devolver todo el dinero al cliente. Después de usar la fraseología propuesta aquí, el cliente respondió: "Seguid adelante con el condenado proyecto. Quería que se hiciera y sigo queriéndolo. Si hubiera querido el dinero, me lo habría guardado sin más".»

El doctor Pat pasó a explicar que, cuando nos encontramos en una situación que exige que nos acomodemos, no deberíamos embarcarnos en una larga lista de excusas. A la otra parte casi nunca le importa por qué no hemos conseguido cumplir con lo acordado; lo que le interesa sobre todo es que asumamos la responsabilidad y propongamos soluciones para avanzar.

Momentos para batallar

Pasando a la mitad superior de la matriz —decidir una estrategia que lleve a utilizar una estrategia competitiva—, el doctor Pat dijo que este enfoque es adecuado cuando se trata de una negociación en la que participa un oponente que no se inclina a colaborar, no es capaz de hacerlo, o alguien con quien, sencillamente, no vale la pena que nos esforcemos. Esa falta de capacidad puede derivarse de que no hayamos conseguido que estén presentes en la mesa personas responsables de tomar decisiones de alto nivel, o quizá sea debida a una falta general de aptitudes de colaboración por su parte.

«Con frecuencia algunas personas me dicen que tienen una relación colaboradora con un agente o vendedor de nivel inferior. Raras veces es esto posible. Para tener una situación que fomente la colaboración, es preciso que participen jugadores de alto nivel, porque son los que más probablemente conocen las auténticas necesidades de su parte y pueden comunicarlas. Estos miembros de la alta dirección pueden proporcionar información sobre las alternativas y tomar decisiones sobre las opciones que nosotros propongamos, además de garantizar fondos y otros recursos. Cuando desarrolléis vuestra estrategia, si decidís colaborar, es preciso que busquéis estas piezas del puzle, y si falta alguna y tenéis posibilidad de endeudaros, competir será frecuentemente vuestra mejor opción.»

El argumento de «no vale la pena» en una estrategia que exige un planteamiento competitivo, provocó cierta discusión entre los presentes. El doctor Pat insistió en la necesidad de ver más allá de la negociación actual y considerar el verdadero *potencial* que nos ofrece el encuentro. «Muchos concesionarios de automóviles negocian con nosotros de una manera fuertemente competitiva porque no esperan volvernos a ver nunca más. La excepción serían organizaciones como Carl Sewell, de Texas. El libro de Carl, *Customers for Life* [Clientes para toda la vida], pone de relieve su estrategia para adoptar un enfoque a más largo plazo y más colaborador en la relación con sus clientes, a fin de satisfacer las necesidades de transporte de ellos y de sus familias.»

El doctor Pat continuó aclarando el potencial de una situación, haciendo hincapié en que algunos clientes negocian una parte pequeña del acuerdo con un nuevo proveedor sólo para poner a prueba su planteamiento y capacidad. Le dan a la nueva fuente, con una actuación fuertemente colaboradora, la oportunidad de conseguir un negocio adicional y más importante. Afirmó que, cuando se pone en práctica una estrategia, suele ser mejor errar pensando que quizás haya potencial que subestimando la oportunidad.

Cuándo decidir «todos ganan», y que vuelven a ganar

El segmento dedicado a la estrategia en el Paso 3 del taller acabó aclarando las circunstancias en que una negociación dada nos lleva hacia un planteamiento colaborador.

«Os conviene por lo menos tratar de colaborar cuando la situación presenta una oportunidad significativa, con equipos de toma de decisión capaces y dispuestos en todos los lados de la mesa —aconsejó el doctor Pat—. La mayoría dicen que la colaboración es una estrategia de "todos ganan", pero a mí me parece instructivo añadir un tercer "ganan". Cuando colaboramos con éxito, tú ganas, yo gano y, quizá lo más importante, la relación entre nosotros o nuestras empresas gana conforme entendemos de una forma más amplia y profunda las capacidades y necesidades mutuas. Con frecuencia, veo casos de empresas que llevan cuarenta años haciendo negocios, aunque los jugadores de cada una hayan cambiado varias veces. La relación misma es vitalmente importante.»
El doctor Pat afirmó que su experiencia en estrategia demues-

tra que contar con dos partes dispuestas y capaces de colaborar sólo sucede en una de cada cinco de las negociaciones más usuales. Citando la ley de Pareto, conocida comúnmente como la norma del 80/20, dijo que este porcentaje relativamente pequeño (20 por ciento) de todas las negociaciones representa alrededor del 80 por ciento del éxito global de la mayoría de las personas y las organizaciones.

Continuó: «El tiempo y esfuerzo necesarios para colaborar exige que reservemos esta estrategia para un conjunto de negociaciones muy especial. La cantidad de preparación e identificación de necesidades requerida para fomentar un ambiente favorable a la solución de problemas sólo se justifica por los resultados superiores y duraderos que se pueden alcanzar cuando nuestra decisión estratégica demuestra ser la adecuada y que luego se utiliza con éxito. La franqueza exigida para colaborar debe basarse en un alto nivel de confianza y un bajo nivel de estrés interpersonal. Todos deben estar convencidos de que la información que las partes comparten será auténtica y se utilizará para el bien común, no para unas tácticas oportunistas cuyo fin es conseguir beneficios personales».

El doctor Pat dijo que los participantes siempre deberían buscar una estrategia de colaboración para las negociaciones entre partes diferentes dentro de la organización XL. «A veces, las negociaciones internas pueden ser muy difíciles debido a metas y objetivos en conflicto. No obstante, cuando marketing, ventas, producción, finanzas e investigación y desarrollo pueden aunar esfuerzos aplicando un planteamiento de colaboración, hay pocas limitaciones en cuanto a lo que la organización puede lograr. Dicho esto, con frecuencia nuestra elección de estrategia demuestra que estamos peleando por hacernos con la misma "chuleta de cerdo" cuando se trata de los recursos de la organización.»

Eduardo y Jay intercambiaron una mirada de complicidad, que indicaba que a XL le quedaba un largo camino por recorrer antes de llegar al punto en que la mayoría de negociaciones internas fueran de colaboración, en lugar de batallas competitivas por el territorio.

Preparar el ejercicio

El doctor Pat concluyó la sesión diciendo que, a continuación, pasarían a la Y del sistema EASY. «El ejercicio de Un Minuto es una tarea que realizaréis cada vez que os enfrentéis a una situación de negociación. Sencillamente, os tomaréis un minuto para revisar los tres pasos de que consta el tratamiento contra la *negociafobia*. Debéis recordar que empezamos con el Paso 1, «Poner en marcha», donde reconocíamos que la negociación era necesaria y revisábamos las cuatro estrategias de negociación. Luego nos fuimos al Paso 2: Evaluar vuestras propias tendencias estratégicas y las estrategias que es probable que despliegue la otra parte. Finalmente, en el Paso 3, indentificabais la estrategia que mejor encaja en la situación. Al revisar estos tres pasos, estáis llevando a cabo vuestro ejercicio de preparación para triunfar en cualquier negociación a la que os enfrentéis. Practicando un poco, se trata de un ejercicio que podéis completar en sólo un minuto muy valioso.

Eduardo tenía muchas ganas de utilizar el ejercicio. Tenía esperanzas de que Anderson Industries tuviera el potencial y pudiera valer la pena invertir en una estrategia de plena colaboración. Tomó nota en su lista de cosas que hacer de que, en cuanto volviera a Florida, tenía que repetir su ejercicio para ver si respaldaba la colaboración con este cliente. Ya había tomado nota de varios clientes que parecían encajar en las otras tres estrategias en razón de su potencial y de cómo creía que negociaban con él. Su uso del Ejercicio de Un Minuto le ayudaría a decidir qué camino estratégico seguiría, por lo menos al principio, en cada una de estas negociaciones.

Al mismo tiempo, Jay se preguntaba qué tal iría usar un planteamiento competitivo con MGB Properties. Nunca había conseguido que los jugadores de alto nivel de la organización participaran en las conversaciones sobre las necesidades o soluciones de los sistemas de información. Parecía que usar una estrategia competitiva era su mejor alternativa.

Ideas de un minuto del capítulo 7

1. Una experta selección de estrategia demostrará que hay un tiempo y un lugar para elegir las estrategias de evitación y de acomodación, pese a los resultados, en general inferiores, que tienden a generar.

2. Aunque a la gente no le gustan las objeciones en una negociación, son mejores que el silencio ensordecedor con que tropezamos cuando nos enfrentamos a un evitador.

3. Una estrategia competitiva suele ser la mejor elección cuando vemos que se trata de un acuerdo insignificante, pero debemos tener cuidado y no juzgar la importancia de un trato sólo por las cubiertas.

4. La colaboración exige mucho más trabajo que las otras tres estrategias, pero cuando nuestra elección nos lleva en esta dirección, los beneficios pueden hacer que la inversión se compense con creces.

8

El Ejercicio de Un Minuto
en la práctica

Perforar en busca del oro negro

—Jay, ¿de verdad crees que podemos revisar los tres pasos del tratamiento contra la *negociafobia* en un ejercicio que sólo necesita un minuto y dar con la estrategia de negociación que nos proporcionará la mejor oportunidad de éxito? —preguntó Eduardo.

—Pues mira, Eduardo, las ideas que nos ha ofrecido el doctor Pat son bastante sencillas y claras —respondió Jay—. Me gusta el planteamiento EASY de poner en marcha, evaluar, y decidir la estrategia. Ya se me han ocurrido varias ideas para cambiar mis estrategias de negociación con varios clientes y posibles clientes. En tu caso, ¿qué hay de Anderson Industries? Buena parte del tiempo, mientras él hablaba sobre colaboración, yo pensaba en que tú siempre creías que allí había muchas oportunidades. ¿No me dijiste hace un par de semanas que tenían un nuevo director de finanzas y que iban hacia una decidida expansión en Europa? A mí me parece un momento de «todos ganan». —Eduardo sonrió y confirmó la evaluación que su amigo hacía del que podía convertirse en su cliente más importante.

En aquel momento, el doctor Pat estaba de pie ante la sala. «Allá en mi tierra de Texas tenemos otro nombre para el pe-

100

tróleo. Lo llamamos "oro negro", por lo valioso que es. También puede costar mucho encontrarlo. Suele estar a mucha profundidad y, con frecuencia, hay que perforar durante meses para llegar a él. Si no aciertas, acabas con algunos de los agujeros de perforación más profundos que hayáis visto nunca.

»El ejercicio que hemos estado construyendo aquí hace que sea mucho más fácil que encontréis vuestra propia versión del oro negro: unas negociaciones muy competentes que generen los resultados más positivos posible, usando un mínimo de recursos. Es una fuerza poderosa para ayudaros a luchar contra la *negociafobia* y forjar unas relaciones más sólidas, donde esas relaciones sean viables. Las buenas noticias son que, cuando hayáis usado el ejercicio unas pocas veces, no tendréis que trabajar durante semanas o meses, sino sólo un minuto.»

Ejercicio de Un Minuto: **Cada vez que entres en una situación de negociación, tómate un minuto para revisar los tres pasos.**

Paso 3 *Decidir la estrategia:* Escoge la estrategia adecuada para esta negociación en particular.

Paso 2 *Evaluar:* Calibra tu tendencia a usar cada una de las estrategias de negociación, así como las tendencias de la otra parte (o de las otras partes).

Paso 1 *Poner en marcha:* Reconoce que estás en una negociación y revisa rápidamente las estrategias viables.

El doctor Pat procedió a entregarles las tres preguntas de que consta el Ejercicio de Un Minuto:

1. ¿Esta situación es una negociación? Y, si lo es, ¿cuáles son las cuatro estrategias de negociación viables?
2. ¿Cuáles son mis tendencias naturales en cuanto a la estrategia de negociación? Y las otras partes que participan en la negociación, ¿qué estrategia es más probable que apliquen?

3. Una vez reconocida la naturaleza de esta negociación en particular, ¿qué estrategia es la óptima para usar?

A continuación ayudó al grupo a hacer varios de sus ejemplos, paso a paso, además de trabajar en otros presentados por miembros del equipo de XL.

Hecho esto, era hora de que el grupo pasara la última noche del crucero celebrándolo con sus seres queridos y volver a casa al día siguiente para llegar a ser negociadores de Un Minuto.

El tiempo vuela: cuatro meses después

Jay y Eduardo habían estado utilizando su Ejercicio de Un Minuto con éxito desde que el barco atracó de vuelta en Miami. Los dos habían aprendido que, en su vida, tanto profesional como personal, el ejercicio para tratar su *negociafobia* estaba produciendo barriles de «petróleo». Al final del taller, el doctor Pat había advertido a todos los participantes que ningún sistema puede hacer que alguien gane en todas y cada una de sus negociaciones, y que su nuevo ejercicio no era ninguna excepción. Les dijo que, en su opinión, aprendemos tanto o más de nuestras derrotas que de nuestras victorias. Su afirmación de que «la meta del Ejercicio de Un Minuto, compuesto de tres sencillas preguntas, es siempre reducir el porcentaje de las primeras y aumentar el de las segundas», había demostrado ser profundo.

Reflexionar sobre las negociaciones

Por casualidad, el doctor Pat estaba en Miami al mismo tiempo que Jay y Laura, que habían ido desde Cleveland para echar una ojeada a posibles casas para pasar las vacaciones/ invertir en Cayo Largo, junto con Eduardo y Luciana. Lo habían organizado para encontrarse con el doctor Pat en un restaurante para hablar de los resultados del Ejercicio de Un Minuto hasta el momento. Fue una oportunidad estupenda para que los dos informaran de sus resultados a su mentor y recabaran ideas adicionales para usarlo con más eficacia.

—Jay, ¿por qué no empiezas tú? —propuso el doctor Pat—. Creo que has acabado dándote cuenta de que el ejercicio es tan poderoso para tu vida personal como para tus negociaciones profesionales. Dame un ejemplo de cuándo has descubierto que el ejercicio te ha ayudado a negociar con tus amigos o tu familia.

—Bueno, doctor Pat —respondió Jay—, tengo que decir que el ejercicio ha tenido algunos efectos muy significativos. Antes del crucero, mi hermana me había hablado de un problema de salud de mi padre. Le preocupaba que su mala memoria general se estuviera convirtiendo en algo más. Lo que la inquietaba era que estuviera en las primeras etapas de la enfermedad de Alzheimer. Yo opinaba que no pasaba nada que fuera especialmente inusual en un hombre de su edad. Antes del taller no veía esto como una negociación, pensaba que sólo era el punto de vista de una hermana excesivamente cauta. Debido a esta manera de pensar, no di ningún paso para emprender el Paso 1, reconocer la situación y revisar la estrategia.

»Al volver a Cleveland, una rápida revisión de mis tendencias, en el Paso 2, me mostró que la verdad era que estaba evitando el problema. Tengo que reconocerle a mi hermana el mérito de que también estaba dispuesta a colaborar conmigo sobre este asunto. Al revisar el Paso 3, comprendí que dada la importancia de la salud y el bienestar de mi padre y la disposición de mi hermana a trabajar conmigo, estaba claro que

que la colaboración era la mejor opción; realmente la única opción.

»El gran valor de mi Ejercicio de Un Minuto fue que me ayudó a ponerlo todo en perspectiva y reconocer que estaba ante una negociación real e importante. Me reuní con mi hermana para almorzar y preparamos un plan donde ella se ocuparía de recabar las primeras informaciones, y luego nos reuniríamos con el médico de nuestro padre para elaborar un plan de acción. Las malas noticias es que le han diagnosticado la enfermedad; las buenas, que ya está recibiendo el tratamiento adecuado y que nuestra colaboración ha desembocado en algunas alternativas con las que todos nos sentimos bien.

El doctor Pat estaba claramente complacido con esta aplicación de su ejercicio.

—Jay, gracias por contarme esta experiencia personal. Tengo que decir que, aunque el primer objetivo de los talleres que hago son las aplicaciones empresariales, las personales son las que me ofrecen más satisfacciones. Con frecuencia, ni siquiera reconocemos las negociaciones que surgen en nuestra vida y, por ello, caemos en una estrategia de evitación que, a menudo, es inapropiada y puede ser incluso peligrosa. Si no revisamos y asumimos el Paso 1, es muy improbable que acabemos con un resultado tan positivo.

Se volvió hacia Eduardo.

—Eduardo, ¿qué me dices de una aplicación del ejercicio a XL, en que lo usaras con un cliente o posible cliente?

Eduardo se moría de ganas de contar su historia con Anderson Industries.

—Pat, gran parte del tiempo, cuando hacíamos el taller, yo pensaba en Anderson Industries. Han sido buenos clientes de XL durante muchos años, pero en los últimos seis meses, cada vez me preocupaba más que, como estaban cambiando tanto, el sistema de información que les proporcionábamos se hubiera convertido en obsoleto. Era tentador no hacer nada y limitarme a quedarme sentado, esperando, hasta ver si pasaba algo malo... ya sabes, no tientes la suerte. Después de mi tiempo contigo, sabía que no era el mejor planteamiento. Al utilizar el ejercicio, tuve claro que era hora de llevar Anderson a un nuevo nivel.

»Después del crucero revisé el Paso 1. La primera llamada la hice a mi contacto habitual en la empresa. Averigüé que Anderson acababa de contratar a una mujer para el cargo de directora de finanzas. Todavía no la conocía. De hecho, casi no había habido ningún contacto entre XL y el anterior director de finanzas. Le dije al jefe de sistemas que era hora de que nos reuniéramos con ella y habláramos de todos los cambios que estaban teniendo lugar en Anderson. Aceptó a regañadientes, lo cual me lleva a la revisión del Paso 2. Se llama Gary y tiende a la evitación. El lema de Gary siempre ha sido que la alta dirección no sepa que existe. Mi tendencia ha sido acomodarme y ver si podíamos hacer pequeños cambios, en esencia poner «tiritas», sin empujar a Gary a que hiciera inversiones mayores en este sector tan importante de sus operaciones. Indagué un poco sobre la nueva directora financiera, y averigüé que, aunque es una "conductora" (no nos equivoquemos respecto a esto), también estaba involucrada en un trabajo de colaboración con XL en su anterior compañía. Pasé a revisar el Paso 3 y decidí que, dada la importancia de la oportunidad y la capacidad de conseguir que ella estuviera presente, por lo menos teníamos que intentar que quisiera colaborar.

—¿Y qué tal fue? —intervino el doctor Pat.

—Bueno —continuó Eduardo—, mediante el uso de mi Ejercicio de Un Minuto, fue evidente que, aunque de salida presentó una postura competitiva de fuertes limitaciones presupuestarias, mediante varias preguntas conseguí que me dijera que Anderson Industries tenía unos planes muy dinámicos para la expansión en Europa Oriental. Se haría a través de una empresa conjunta en Budapest. Después de hacer intervenir a nuestro equipo técnico y pedirles que hicieran una valoración, descubrimos varias carencias importantes en la capacidad del actual sistema de Anderson para soportar este cambio. Fue de gran ayuda descubrir que uno de sus competidores, que utilizaba el sistema de uno de nuestros competidores, estaba implicado en un pleito multimillonario por violación de la seguridad de datos. Después de varias semanas de trabajo, el equipo de XL que yo había reunido volvió a ver a Gary y a la nueva directora de finanzas con dos alternativas para instalar un sistema que satisficiera sus necesidades no sólo hoy, sino también en el futuro. Después de varias conversaciones sobre el alcance del servicio y el precio, decidieron seguir adelante con la alternativa más ambiciosa. Vamos a poner en práctica el servicio durante las próximas semanas. ¡Sin el ejercicio, todavía seguiría utilizando mi combinación de evitación, acomodación y esperanza!

De nuevo al doctor Pat le entusiasmó que la aplicación del ejercicio hubiera producido unos resultados tan positivos.

—Eduardo, como ya os dije, uno de los síntomas de la *negociafobia* es continuar viviendo con una solución inadecuada. En el mundo acelerado en que estamos, sólo porque un sistema fuera una elección hace dos años, no quiere decir que hoy funcione. Ahora reconoces las ventajas de poner en marcha el proceso revisando el Paso 1 del ejercicio. En el peor de los casos, habrías acabado confirmando que tu actual solución seguía dando resultado, pero has acabado con algo que es muy superior tanto para Anderson como para XL.

Mirando a Jay, preguntó:

—Y tú Jay, ¿qué me dices de tu utilización del ejercicio en XL?

Era evidente que Jay no estaba tan entusiasmado como Eduardo respecto a este momento de la conversación.

—Bueno, Pat, dijiste que el ejercicio no siempre conduce al éxito, y yo soy la prueba viviente. El cliente que no podía sacarme de la cabeza durante el taller es MGB Properties. Cuando hablaste de los tipos de personas y organizaciones que usan una estrategia competitiva, era como si los estuvieras describiendo a ellos. Se enorgullecen de usar su departamento de suministros para luchar contra los «vendedores», y no utilizan el término de forma cariñosa. El papel de este grupo es sacudir los árboles cada pocos meses y luego recoger todo el dinero que cae. Nos habíamos acomodado a ellos, una y otra vez, durante los dos últimos años, hasta el punto de que XL no sólo no estaba ganando dinero, sino que el sistema de MGB no se había mantenido al día y se estaba volviendo disfuncional para sus usuarios. Detesto admitirlo, pero estábamos en una situación de «todos pierden».

El doctor Pat sentía mucha curiosidad por ver cómo habían acabado las cosas.

—Jay, cuéntanos qué resultado te dio tu Ejercicio de Un Minuto con MGB.

—Tengo que reconocer que MGB empezó la negociación enviándome un *e-mail* del departamento de compras pidiendo que nos acomodáramos. La palabra que usaron era que deseaban que «colaboráramos» con ellos reduciendo nuestros precios en otro 5 por ciento, así que la revisión del Paso 1 estuvo en juego desde el mismo principio. Sabía que estaba en una negociación y empecé a considerar mis opciones estratégicas. Al revisar el Paso 2, vi claramente que yo había estado tratando de colaborar, mientras que ellos competían. Ya lo sé, doctor Pat: hemorragia sin torniquete. Pasé a revisar el

Paso 3 y fui a ver a Cathy, mi nueva jefa de ventas, que tú conoces bien, y después de un análisis de la rentabilidad que nos aportaba MGB, ella dijo que de ninguna manera íbamos a continuar acomodándonos. Nuestro presidente, Bob Blankenship, la respaldó. Todos decidimos que ya estábamos en el peor escenario y que si un cambio significaba que se fueran con otros, pues que así fuera. —Comprender los principios de negociación del doctor Patrick Perkins y su fórmula EASY con el Ejercicio de Un Minuto le había permitido a Jay pasar de ser *negociafóbico* a ser un practicante informado del ejercicio.

Jay siguió explicando que intentó conseguir que los usuarios del sistema y los altos cargos de MGB acudieran personalmente a una reunión para averiguar cuáles eran sus necesidades. El director del Departamento de compras bloqueó esta acción, así que no hubo más remedio que seguir adelante con una estrategia competitiva. Cathy y él pusieron dos opciones encima de la mesa. Una era el sistema que MGB necesitaba realmente, hasta donde se podía determinar dadas las restrictivas circunstancias. La otra era una reducción menor de precios, pero acompañada de una significativa disminución en el alcance de los servicios, y un menú de prepagos por todo lo que estuviera más allá del sistema básico. Las dos opciones fueron rechazadas. MGB salió en busca de propuestas, entre las cuales eligió al proveedor con el coste más bajo y una reputación muy negativa en cuanto a satisfacción del usuario.

El doctor Pat intervino.

—Jay, como bien recuerdas, ningún proceso puede tener éxito en el ciento por ciento de casos, y el hecho de que detuvieras la sangría de MGB y les enviaras un mensaje, a ellos y al mercado, hace que esta fase de la negociación no haya sido un fracaso total.

Jay estaba totalmente de acuerdo.

—MGB también nos recordó que tu definición de las negociaciones indica claramente que son un proceso continuado. Es todavía muy prematuro, pero Cathy recogió algunos comentarios en un acontecimiento social, la semana pasada, que dicen que los usuarios de MGB se han sublevado por la decisión tomada. Han ido directamente a la alta dirección para decirles que les preocupa que los sistemas de información se compren igual que se compran las toallas de papel. Mi plan de juego es mantener el máximo contacto posible con quienes apoyan a XL, y ver si su actitud impone una revisión de la decisión estratégica del Paso 3. No volveremos con una estrategia competitiva, pero seguimos abiertos a una auténtica colaboración; no obstante, para eso son necesarias las dos partes. Como nos dijiste, doctor Pat, en las negociaciones «no» significa simplemente «todavía no es el sí».

Al doctor Pat le alegró que Jay se acordara de este comentario. Jay siguió diciendo que los recursos que se habían estado malgastando en MGB Properties se estaban asignando ahora a dos posibles clientes muy prometedores, uno de los cuales había mostrado un interés inmediato en que se pusieran en contacto con él.

—Los pasé por mi Ejercicio de Un Minuto: ¿se trata de una negociación, y cuáles son las opciones estratégicas? ¿Cuáles son mis tendencias y las de la otra parte? ¿Qué estrategia es la adecuada en esta situación? Muy pronto estuvo claro que son unos candidatos excelentes para la colaboración. Jennifer Harris, nuestra primera especialista en desarrollo de sistemas, y yo nos reunimos con ellos la semana pasada, y su vicepresidente nos dijo: «Tenéis el enfoque más amplio y mejor que hemos visto, y nos jugamos más que nunca antes con nuestra plataforma tecnológica. Estoy dispuesto a organizar una reunión exhaustiva de análisis para estudiar más a fondo nuestras necesidades y vuestras capacidades».

»Un componente muy importante del éxito en este punto es la manera en que todas las áreas funcionales de XL han aunado esfuerzos de una manera colaboradora —continuó Jay—. Mientras que, en el pasado, las discusiones internas siempre empezaban con "¿Qué trozo me llevo yo?", ahora la mayoría de veces la actitud mental es hacer un pastel más grande y hornearlo como es debido. Es preciso que haya una gran colaboración dentro del equipo de XL, para así generar colaboración con nuestros clientes. La verdad es que no hay otra manera de hacerlo.

El doctor Pat comentó lo que acababa de oír.

—Uno de los mayores beneficios de tratar la *negociafobia* por medio del Ejercicio de Un Minuto es que se empiezan a tomar decisiones más inteligentes sobre dónde aplicar el tiempo y el esfuerzo. La manera en que has usado el sistema con MGB muestra uno de los principales beneficios derivados del proceso. Hay muchas y muy buenas oportunidades de colaboración ahí fuera, incluso en tiempos difíciles. La clave es no permitir que las negociaciones muy competitivas nos consuman y cieguen. Estás totalmente en lo cierto sobre la cadena de colaboración interna/externa. Es preciso que existan ambos enlaces para que eso suceda.

El doctor Pat los invitó a la segunda ronda de bebidas, mientras seguían hablando de que el Ejercicio de Un Minuto se estaba convirtiendo en una segunda naturaleza para ellos y comenzaba a tener un efecto significativo en todos los aspectos de su vida.

Ideas de un minuto del capítulo 8

1. Los negociadores competentes cosechan los beneficios de sus esfuerzos; las estrategias sólidas generan resultados superiores. Es tan EASY (FÁCIL) como 1, 2, 3.

2. Si alguna vez dejamos de tratar nuestra *negociafobia* y desarrollar nuestras habilidades, caeremos de nuevo en nuestras viejas costumbres. Como dice Zig Ziglar: «Es fácil cultivar malas costumbres y difícil librarse de ellas. Es difícil crear buenas costumbres, pero fácil vivir con ellas».

3. La colaboración interna es un requisito previo para colaborar con clientes y con posibles clientes.

4. Las negociaciones sólo se hacen EASY (FÁCILES) cuando utilizamos plenamente el Ejercicio de Un Minuto. No dejéis de usarlo nunca, y cada vez os resultará más fácil. Al final os libraréis de los grilletes de la *negociafobia*.

Epílogo
Un año después

El continuado asesoramiento que recibía Jay, mediante conversaciones telefónicas, de parte del doctor Pat, lo había convertido en un auténtico negociador de gran altura. Tan valioso como las aptitudes para negociar que aprendía era su nuevo compromiso para seguir estudiando su oficio. Con la guía de su *coach*, incluso logró hacer que los que mandaban en MGB adoptaran una postura colaboradora, que tuvo como resultado una de las mayores instalaciones en la historia de XL.

Además, conseguía que otros posibles clientes avanzaran en direcciones más productivas con el continuado uso, suyo y de su equipo, del Ejercicio de Un Minuto. Jay y Cathy habían convertido lo que empezó siendo una situación competitiva en una relación de trabajo responsable y luego muy colaboradora. Jay había comprendido incluso que tanto él como ella estaban en los puestos adecuados en XL. Aunque le gustaba el título de «directora regional de ventas» de Cathy, encontraba que había muchos aspectos del trabajo de ella que a él no le resultaban atractivos. Uno de los cuales, como le señaló el doctor Pat, era que fueran los «cabezaduras» como él quienes decidieran los resultados y los ingresos de Cathy.

La aplicación que hizo Jay de sus nuevas habilidades tuvo mucho que ver con que ganara el trofeo dorado como primer profesional de las ventas en XL. Eduardo quedó segundo detrás de Jay, por muy poco, en resultados de ventas en el nuevo año, y prometió que trabajaría más todavía para desbancarlo y hacerse con el trofeo dorado la próxima vez. Jay le dijo que no olvidara que las negociaciones con éxito son «EASY», pero que vencerlo a él no lo sería.

El padre de Jay siguió razonablemente bien, gracias a la oportuna atención que Jay y su hermana habían prestado a su salud. Su colaboración había funcionado muy bien, una vez que Jay tuvo el valor de dar un paso atrás, someterla a su Ejercicio de Un Minuto, y comprender que él era parte del problema, en lugar de parte de la solución.

Jay y Laura acababan de completar una renovación y ampliación importantes de su casa. Jay compartió el ejercicio con ella y, después de ponerse de acuerdo en colaborar, basándose en las necesidades y no en las emociones, y de contemplar diversas alternativas, decidieron que les encantaba el sitio donde estaban. Jay descubrió muchas oportunidades para usar sus nuevas habilidades negociadoras con el contratista que eligieron.

El Ejercicio de Un Minuto estaba cambiando el rumbo de la vida de los que habían oído y hecho caso de las palabras del Negociador de Un Minuto en el crucero. ¡Resultaba difícil creer que aquel hombre del oeste de Texas, con sus relucientes botas de *cowboy*, pudiera tener un efecto tan grande!

Glosario práctico de
El negociador al minuto

Acomodación: Estrategia de negociación basada en satisfacer minuciosamente las exigencias de la otra parte, debido a que la propia posición de poder es más débil (cooperación alta/reactiva).

Activación: Tendencia a ser proactivo o reactivo en el proceso de negociación.

Amable: Estilo de interacción con un ritmo lento y centrado en las personas. Los que tienen este estilo como dominante tienden a usar una estrategia de acomodación en las negociaciones, ya que tratan de conseguir que todo el mundo esté contento.

Ambiente favorable a la solución de problemas: Forma de abordar el intercambio de información entre las partes de una negociación que hace hincapié en revelar y satisfacer las necesidades con soluciones elaboradas conjuntamente.

Analítico: Estilo de interacción con un ritmo lento y centrado en la tarea. Los que tienen este estilo como dominante tienden a seguir una estrategia de negociación basada en la recogida de datos y, con frecuencia, evitan tomar decisiones en público.

Asuntos de primera clase: Aspectos de una negociación que son muy importantes para la parte de que se trate. Aunque se pueden hacer concesiones en estas cuestiones, una acción de este tipo tendría un efecto adverso en el resultado de cualquier acuerdo negociado.

Ceremonias de apertura: Inicio de la reunión que establece el tono para un planteamiento colaborador o competitivo. Acaban con la presentación de la agenda.

Colaboración: Es la estrategia más avanzada de todas, basada en averiguar las necesidades de todas las partes para llegar a un resultado de todos ganan (cooperación alta/proactiva).

Competición: Estrategia de negociación centrada en conseguir que se atienda a las propias necesidades y posturas. Es un planteamiento de pierde-gana en un juego de suma inalterable, donde la única manera de conseguir algo es que la otra parte ceda algo (cooperación baja/proactiva).

Compromiso: Táctica de negociación basada en buscar un acuerdo dividiendo la diferencia entre las posturas de las dos partes. Sólo debería usarse en las últimas etapas de la negociación, cuando hay una distancia pequeña en las posturas, y sobre una única cuestión, donde la oferta va ligada a un acuerdo inmediato.

Concesión: Rebaja en la posición propia en cualquier aspecto de la negociación, en un esfuerzo por eliminar la distancia entre las posturas de las diversas partes. Sólo se debería practicar si se recibe algo a cambio. Una concesión unilateral es, en realidad, una acomodación.

Conductor: Estilo de negociación con un ritmo rápido y centrado en la tarea. Las personas que tienen este estilo como dominante tienden a seguir, inicialmente, una estrategia de negociación basada en la competición, pero se las puede motivar para colaborar, si creen que así salen beneficiadas.

Cooperación: Voluntad de trabajar con la otra parte en un esfuerzo por alcanzar un acuerdo donde se tomen en consideración las necesidades de la otra parte.

Evitación: Estrategia de negociación basada en no discutir los problemas presentes, con la esperanza de que, de alguna manera, mejoren, o sencillamente desaparezcan (cooperación baja/reactiva).

Expresivo: Estilo de interacción con un ritmo rápido y centrado en las personas. Los que tienen este estilo como dominante tienden a seguir una estrategia de negociación basada en la colaboración.

Monedas de cambio: Factores de una negociación que no son especialmente importantes para la parte de que se trate. Un negociador puede hacer concesiones en estos aspectos sin consecuencias significativas. Las jugadas con monedas de cambio se deberían hacer para conseguir ayuda con los problemas de los temas estrella. Recordad que nunca se debería dar a entender que esas monedas son cosas para malgastar ni para regalar.

Negociación: Proceso en marcha por medio del cual dos o más partes, cuyas posiciones iniciales no son necesariamente compatibles, se esfuerzan por alcanzar un acuerdo.

Negociafobia: Temor muy extendido a negociar, basado en el deseo de evitar el conflicto y en la falta de aptitudes. Otro síntoma es la incapacidad de adaptar la estrategia de negociación propia para que encaje en la situación actual. De las personas que padecen esta epidemia se dice que son *negociafóbicas.*

No negociables: Aspectos de una negociación donde no hay cambio posible. Deberían ser poco numerosos y estar claramente definidos como no abiertos a una negociación. Partiendo de esto, un negociador debería demostrar con la práctica que no está dispuesto ni siquiera a discutir estos puntos.

Objetivos de relación/colaboración: Resultados que se buscan en una negociación para que impulsen el proceso de colaboración entre las partes. Estos objetivos no son adecuados para una reunión puramente competitiva.

Objetivos transaccionales: Resultados que se buscan para promover la calidad del acuerdo que se está negociando. Estos objetivos tienen una naturaleza más a corto plazo que los de relación, y son adecuados para usar en todas las estrategias de negociación.

Sesión de poner las cartas boca arriba: Reunión, dentro de una negociación de colaboración, centrada en poner las necesidades de todas las partes sobre la mesa. En una reunión de este tipo no se deberían discutir las posturas ni las propuestas de solución.

Sesión de soluciones: Reunión de negociación que se centra en confirmar las necesidades, identificando la capacidad de la solución actual para satisfacerlas; presenta nuevas opciones, las discute, y luego establece un plan de acción para avanzar.

Tácticas defensivas: Tácticas que se usan para proteger las posturas propias y minimizar las concesiones en una negociación competitiva.

Tácticas ofensivas: En una negociación competitiva, jugadas de un negociador destinadas a estimular la acomodación o las concesiones de la otra parte.

Tácticas de fortificación: Tácticas de negociación competitivas que se aplican proactivamente para proteger posiciones y reducir la necesidad de hacer concesiones.

Tácticas de réplica: Tácticas defensivas dentro de una negociación competitiva destinadas a mitigar el impacto de las tácticas ofensivas de la otra parte. Se emplean de una manera reactiva para minimizar cualquier concesión que se deba hacer como resultado de la táctica ofensiva de la otra parte.

Agradecimientos

Para nosotros dos, este libro es la culminación de años de estudio, investigación, aplicación práctica y pruebas. Hemos aprendido mucho de muchos, como suele suceder con la mayoría de temas específicos. La aplicación de nuestras ideas, en la práctica, en firmas clientes que nos han ayudado a pulir y simplificar nuestro modelo ha sido informativa y gratificante. Apreciamos y valoramos, también, los trabajos sobre negociaciones hechos por otros que nos han precedido, entre ellos Gary Frasier, Chester Karras, Roger Dawson, Dr. Jim Hennig, Bob Gibson, John P. Dolan, William Ury y Roger Fisher.

Siempre nos quedaremos cortos al hablar de los conocimientos y el esfuerzo de Steve Piersanti, quien, con el cargo de director de Berrett-Koehler, ha demostrado su indudable visión de ejecutivo, pero que muchos de nosotros sabemos que es uno de los especialistas en edición más expertos del sector. Reconocemos y agradecemos también a Sharon Dismore y Ruth Ann Hensley por su capaz ayuda en la revisión de este libro.

También queremos reconocer la influencia de Ken Blanchard, coautor, con Don, de *The One Minute Entrepreneur* [*Empresario en un minuto*]. No sólo nos escribió un prólogo muy amable, sino que además estableció, para todos nosotros, un ejemplo magnífico de cómo se deben hacer negocios hoy, como lo demuestra el éxito global de Ken Blanchard Companies.

Expresamos nuestro agradecimiento y nuestro reconocimiento a Tony Alessandra, miembro y compañero de Don en la *Speakers Roundatable*, que fue coautor con Don de *Selling with Style*, por su temprana investigación sobre los estilos de conducta y la adaptabilidad que hemos incluido en este libro. Damos las gracias asimismo a los primeros investigadores/expertos en estilos conductuales, entre ellos Carl Jung, David Merrill, Roger Reid, Larry Wilson y Don Thoren.

También debemos nuestro reconocimiento a Patrick L. Schul, pionero, junto con George, de algunos de los primeros elementos de los conceptos de colaboración, que tuvieron mucha influencia en el contenido de este libro.

Sobre los autores

Don Hutson

La carrera de Don Hutson, que abarca conferencias, obra escrita, consultoría y ventas, le ha aportado muchos honores. Estudió en la Universidad de Memphis, donde se graduó con un título en ventas. Después de una exitosa carrera en ventas, fundó su propia empresa de formación, y hoy es consejero delegado de U. S. Learning, con sede en Memphis, Tennessee.

Ha dado conferencias para más de dos tercios de las empresas incluidas en *Fortune 500*; aparece en más de un centenar de películas de formación, y actualmente aparece en unos 75 programas por año. Es autor o coautor de doce libros, entre ellos el número uno del *Wall Street Journal* y *bestseller* de *The New York Times, The One Minute Entrepreneur* [*Empresario en un minuto*] (con Ken Blanchard).

Su primer libro, *The Sale*, está en su novena edición y ha sido adoptado como manual de formación en ventas por docenas de corporaciones. Empresas de todo el mundo han solicitado los conocimientos y la amplia experiencia de Don en la primacía del factor venta, en lugar del factor precio. Ha hablado ante el público más de cinco mil veces, en veintidós países.

Don estuvo en la junta original y es ex presidente de la Society of Entrepreneurs. Ha recibido el Marguerite Piazza/ St. Jude Children's Hospital Humanitarian Award. Forma parte del consejo consultivo de la revista *Success,* y es presidente de la junta de Executive Books.

Fue presidente y miembro del consejo fundador de la National Speakers Association. Es miembro de la prestigiosa Speakers Roundtable, un grupo de expertos formado por veinte de los principales conferenciantes/formadores de Estados Unidos. Ha recibido el Cavett Award, como miembro del año de NSA, y es miembro del Speakers Hall of Fame.

Para contactar con Don, visiten www.DonHutson.com.

George Lucas

Durante más de veinticinco años, George Lucas ha sido un recurso para las organizaciones, en tanto que orador, formador, consultor y *coach* sobre el terreno. Ha trabajado en estrecha relación con sus clientes para ayudarlos en el fomento de las mejores prácticas mientras trabajan para forjar relaciones ventajosas con sus clientes, posibles clientes, proveedores y recursos internos. George ha dirigido estas iniciativas por toda Norteamérica, Asia/Pacífico, Europa, América Latina y África.

En su lista de clientes hay organizaciones tanto globales como de tamaño medio. Es digno de mención que con ninguno de sus clientes tiene la estrategia de ser la opción «más barata» cuando les ofrece sus servicios y productos. Por el contrario, todos han elaborado un enfoque centrado en identificar, entregar, comunicar y ser compensados adecuadamente por el valor que proporcionan.

Lucas tiene una licenciatura de la Universidad de Missouri-Columbia y, posteriormente, trabajó en varios puestos de ventas sobre el terreno. Volvió a Missouri para completar un MBA y un PhD en administración de empresas. Tiene un puesto docente en la Texas A&M University y en la Universidad de Memphis. Fue en la Universidad de Memphis donde colaboró con el doctor Patrick Schul en el desarrollo y lanzamiento del primer plan de estudios de conocimientos de negociación para el primer nivel de graduados.

Es autor de varios libros de éxito, y ha publicado numerosos artículos sobre los temas de habilidades de negociación, liderazgo y estrategia de marketing. Es consultor sénior y forma parte del consejo de U. S. Learning. Ha preparado, junto con Terri Murphy, un curso de aprendizaje en CD, ampliamente utilizado, titulado *Negotiation: What You Don't Know Can Cost You.*

Para contactar con George, visiten www.USLearning.com

Visítenos en la web:

www.empresaactiva.com